Thomas Schmeller

Hierarchie und Egalität

Stuttgarter Bibelstudien

162

Herausgegeben von
Helmut Merklein und Erich Zenger

Thomas Schmeller

Hierarchie und Egalität

Eine sozialgeschichtliche Untersuchung paulinischer Gemeinden
und griechisch-römischer Vereine

Verlag Katholisches Bibelwerk GmbH
Stuttgart

Die Deutsche Bibliothek – CIP-Einheitsaufnahme

Schmeller, Thomas:
Hierarchie und Egalität : Eine sozialgeschichtliche
Untersuchung paulinischer Gemeinden und
griechisch-römischer Vereine/ Thomas Schmeller. –
Stuttgart : Verl. Kath. Bibelwerk, 1995
(Stuttgarter Bibelstudien ; 162)
ISBN 3-460-04621-X
NE: Schmeller, Thomas; GT

ISBN 3-460-04621-X
Alle Rechte vorbehalten
© 1995 Verlag Katholisches Bibelwerk GmbH, Stuttgart
Gesamtherstellung: Pustet, Regensburg

Für meine Kinder

Tilman und Christine

Inhaltsverzeichnis

Einleitung

In zwei vor kurzem erschienenen angelsächsischen Dissertationen wird (unabhängig voneinander, aber mit sehr ähnlichen Ergebnissen) versucht, die soziale Realität der Paulusgemeinde in Korinth mit Hilfe der Beziehungsform von Patron und Klient zu beschreiben und zu erklären:[1] Auch in der korinthischen Gemeinde habe es solche Beziehungen zwischen wenigen sozial hochgestellten Gemeindemitgliedern ("Patronen") und vielen anderen, sozial schwächeren ("Klienten") gegeben. Derartige Abhängigkeiten sollen verschiedene Vorkommnisse in der Gemeinde erklären, die von Paulus kritisiert werden: Daß z.B. in dem Fall des Mannes, der mit seiner Stiefmutter lebte (1 Kor 5), die übrigen Gemeindemitglieder nicht einschritten, den betreffenden nicht einmal tadelten, sondern im Gegenteil sogar noch stolz auf ihn waren (1 Kor 5,2), sei dann verständlich, wenn es sich hier um einen Patron handelte, der in der Gemeinde viele loyale Klienten hatte. Die Prozesse vor heidnischen Gerichten (1 Kor 6,1-8) sollen ebenfalls auf mächtige Patrone hinweisen, denn nur solche konnten sich davon Vorteile versprechen. Auch die von Paulus kritisierten Verhältnisse bei der Feier des gemeinsamen Mahls (1 Kor 11,17-34) werden mit sozialer Hierarchie und Statusdenken innerhalb der Gemeinde in Verbindung gebracht. In beiden Dissertationen wird betont: Paulus lehnte dieses vertikale Patron-Klient-Verhältnis als eine weltliche Beziehungsform ab und wollte es durch eine christliche Form von *leadership* ersetzen, die durch "commitment to service and not status"[2] charakterisiert sei.

In der hier vorliegenden Studie soll unter anderem dieses Ergebnis überprüft werden: Wie weit geht der von Chow und Clarke [3] herausgestellte Gegensatz zwischen säkularen (vertikalen, hierarchischen, statusbezogenen) und paulinischen (horizontalen, egalitären, im Dienst begründeten) Prinzipien sozialer Führung? Verteilen sich die Pole dieses Gegensatzes tatsächlich so klar auf Paulus und die Gemeinde? Warum gelangte, wenn die eben referierte These stimmt, Paulus zu einer neuen, wirklich christlichen Sicht von Gemeinde, während die ganze korinthische Gemeinde bei den alten, nichtchristlichen Mustern sozialer Beziehungen blieb? Sind diese alten Muster wirklich so unvereinbar mit den von Paulus propagierten? Gibt es nur

---

[1] John K. Chow, Patronage and Power: A Study of Social Networks in Corinth (JStNT.S 75), Sheffield 1992; Andrew D. Clarke, Secular and Christian Leadership in Corinth: A Socio-Historical and Exegetical Study of 1 Corinthians 1-6 (AGJU 18), Leiden 1993.

[2] Clarke, aaO. 131; vgl. Chow, aaO. 187.190.

[3] Zu Clarke vgl. meine Rezension in: BZ 38 (1994) 296-298.

hier (auf der christlichen Seite) Egalität und nur dort (auf der nichtchristlichen Seite) Hierarchie?

Diesen Fragen werde ich mich auf dem Weg eines sozialgeschichtlichen Vergleichs der paulinischen Gemeinden (insbes. der korinthischen) mit griechisch-römischen Vereinen nähern. Vereine spielen in den genannten Dissertationen nur eine sehr untergeordnete Rolle. Chow und Clarke unterscheiden nicht klar zwischen einer allgemeinen, individualistischen Form des Patronats und einer anderen, bei der die Klientel aus einer *Gruppe* besteht (z.B. einer Stadt oder eben einem Verein), d.h. bei der die Klientel nicht allein die Beziehung zum gleichen Patron gemeinsam hat. Nur letztere ist aber für eine Untersuchung von Gemeinden wirklich relevant. Gerade Vereine bieten sich hier für unsere Fragestellung an, weil sie in mehreren Hinsichten eine den Gemeinden vergleichbare soziale Größe sind. Es handelt sich in beiden Fällen um (meist) relativ kleine Gruppen, die sich regelmäßig auf freiwilliger Basis zu Kultakten und gemeinsamen Mählern treffen und ihren Mitgliedern Unterstützung gewähren.[4] Sowohl von Außenstehenden [5] wie von Christen [6] konnten die Gemeinden als eine Art religiöser Vereine wahrgenommen werden. Damit stellt sich erneut die Frage, wie weit diese Analogien gingen. Endeten sie mit den innergemeindlichen Sozialbeziehungen, d.h. konkret: mit der Art und Weise, wie mit unterschiedlichem Status umgegangen wurde und wie die Leitungsfunktionen geregelt waren?

Nach einigen Hinweisen zur Forschungsgeschichte (Teil 1) wende ich mich, immer mit Blick auf die hier angerissenen Fragen, zunächst den Vereinen (Teil 2), dann den Gemeinden (Teil 3) zu.

---

[4] Letzteres ist in dieser Allgemeinheit für die Vereine umstritten, gilt aber zumindest für Begräbnisvereine.

[5] Vgl. Lukian, Pergr Mort 11: Peregrinus wird als θιασάρχης und προστάτης einer Gemeinde bezeichnet; beide Titel begegnen häufig im Kontext von Vereinen. Kelsos spricht vom Christentum als einer ἀφανής καὶ ἀπόρρητος κοινωνία (bei Origenes, Cels 8,17). Plinius, Epistulae 10,96, nennt die christliche Gemeinde eine hetaeria, ein Ausdruck, in dem der politisch bedenkliche Aspekt eines Vereins mitschwingt.

[6] Vgl. bes. Tertullian, Apol.: Das Christentum müßte ihm zufolge als eine der factiones licitae behandelt werden, denn es begeht nichts von dem, was man von den unerlaubten Vereinen befürchtet (38,1); es ist ein corpus (39,1) mit einer gemeinsamen Kasse, die durch monatliche Beiträge gefüllt wird (39,5) und u.a. für das Begräbnis der Armen nötig ist (39,6). Nach Kötting, Art.: Genossenschaft 147, wolle Tertullian die Gemeinde nicht als Verein zeichnen, sondern erhebe vielmehr für sie "wegen der vollständigen Einbeziehung aller Lebensvorgänge ihrer Mitglieder den Anspruch, als 'curia' verstanden zu werden". Kötting scheint mir aber eine unnötige Alternative aufzustellen: Wenn Tertullian in rhetorischer Steigerung abschließend von der Gemeinde sagt, "non est factio dicenda, sed curia" (39,21), so stellt dies die vorangegangene bewußte Darstellung der Gemeinde im Modell eines erlaubten Vereins nicht in Frage.

1. Teil: Forschungsgeschichte

§ 1) Verhältnisbestimmungen von Gemeinden und Vereinen um die Wende zum 20. Jahrhundert

Ende des 19.Jh.s griffen einige ntl. Exegeten das Anliegen auf, das seit etwa Mitte des Jh.s in der Klassischen Philologie und der Alten Geschichte eine große Rolle gespielt hatte: die Erforschung der Inschriften mit dem Ziel, die konkreten Lebensbedingungen der Antike und damit die Produktionsbedingungen der klassischen Texte zu erhellen. In der ntl. Exegese blieb dieses sozialgeschichtliche Interesse bis etwa 1930 lebendig.[1]

In mehreren Beiträgen hat seit den 1870er Jahren vor allem C.F.G. Heinrici Vergleiche zwischen Vereinen und insbes. der korinthischen Gemeinde angestellt.[2] Er hebt eine Reihe von Analogien hervor, sowohl in der Verfassung wie im Leben der Gemeinde. Die Organisation als Hausgemeinden entspreche der Bindung vieler Vereine an Haus und Familie,[3] ebenso die gegenseitige Bezeichnung als Brüder und Schwestern.[4] Die Gleichberechtigung von Frauen, Sklaven und Fremden, d.h. die interne Aufhebung ihrer externen sozialen Diskriminierung, sei beiden Gruppen gemeinsam.[5] Dennoch habe in der Gemeinde wie im Verein der Patron eine große Bedeutung, weil er sein Haus zur Verfügung stelle.[6] Auch die Termini, die Paulus für das Gemeindeleben gebraucht, seien die gleichen wie in Vereinen, so vor allem ἐκκλησία (Röm 16,1.4f u.o.) für die Gemeindeversammlung, προστάτις (Röm 16,2) und evtl. auch προϊστάμενος/-οι (Röm 12,8; 1 Thess 5,12) für Patrone, ἐπίσκοπος (Phil 1,1) für eine Leitungsfunktion (wobei überhaupt für Gemeinden wie für Vereine die Wahl von "Beauftragten und Vertrauensmännern"[7] charakteristisch sei);[8] der Begriff τέλος in Röm 13,7 bezeichne keine

---

[1] Zur Forschungsgeschichte der soziologisch orientierten Exegese vgl. Schmeller, Brechungen 16-21.

[2] C.F.G Heinrici, Die Christengemeinden Korinths und die religiösen Genossenschaften der Griechen (1876); ders., Zur Geschichte der Anfänge paulinischer Gemeinden (1877); ders., Zum genossenschaftlichen Charakter der paulinischen Christengemeinden (1881, Nachdruck 1971); ders., Das erste Sendschreiben des Apostels Paulus an die Korinthier (1880) bes. 21-27; ders., Der erste Brief an die Korinther ([3]1896) bes. 5-9.

[3] Vgl. ders., Christengemeinden 506.

[4] Vgl. ders., Charakter 519; 1 Kor ([3]1896) 5f.

[5] Vgl. ders., Christengemeinden 512; 1 Kor (1880) 25; 1 Kor ([3]1896) 6.

[6] Vgl. ders., 1 Kor ([3]1896) 7; 1 Kor (1880) 23.

[7] Ders., 1 Kor ([3]1896) 6.

[8] Vgl. ders., Christengemeinden 515-520; 1 Kor ([3]1896) 7f.

Steuer, sondern den Beitrag zur gemeinsamen Kasse.[9] Parteiungen wie die in Korinth lassen sich - so Heinrici - auch in wachsenden Vereinen beobachten, wenn mehrere Führer auftreten;[10] die Mißstände beim Herrenmahl haben mit einer Sitte in manchen Vereinen zu tun, wonach jeder nur die selbst mitgebrachten Speisen verzehrt;[11] wenn Paulus in 1 Kor 9 seinen Unterhaltsverzicht herausstreicht, dann mit dem Hintergedanken, daß Gemeinden wie Vereine solche Zurückhaltung von Patronen oder Mitgliedern sehr zu schätzen wissen.[12] Insgesamt hat sich, Heinrici zufolge, die korinthische Gemeinde "*in den Formen der Genossenschaften organisirt*", und zwar in "allen Punkten (..), welche die Verfassung, die Beziehungen der Mitglieder unter einander und ihre Verhältniss zu der heidnischen Gesellschaft betreffen".[13] Deshalb war es ihnen möglich, an der faktischen Duldung von religiösen Vereinen und Begräbnisvereinen durch den Staat zu partizipieren. Die Verfolgung habe erst eingesetzt, als der Staat seinen Irrtum bemerkte.[14]

Trotz dieser großen Ähnlichkeit erkennt Heinrici auch einige Unterschiede: Nur in den Gemeinden gebe es das Bewußtsein einer weltweiten Zusammengehörigkeit;[15] nur hier sei das ideale Motiv für den Einsatz zugunsten der anderen nicht Geltungsstreben, sondern Bruderliebe;[16] und nur hier sei das Wirken des Geistes ein für das gemeinsame Leben bedeutsamer Faktor.[17]

Diese wichtigen Unterschiede sind für Heinrici - gerade in der Auseinandersetzung mit seinem scharfen Kritiker Holsten (vgl.u.) - Grund genug, zwischen Gemeinde und Verein kein direktes Abhängigkeitsverhältnis anzunehmen. So schreibt er gegen die Angriffe Holstens, er habe nie bezweifelt,

"daß das Vorhandensein dieser analogen Formen nicht auf die Nachahmung eines ethnischen Vorbildes, sondern auf eigentümlich christliche Prinzipien zurückzuführen sei. Sicher hat der Apostel den neuen Wein des Evangeliums nicht in alte Schläuche fassen wollen. (...) Meine Ausführungen behaupten eben nur, daß die aus dem Wesen und Bedürfnis der geschichtlichen Verhältnisse erwachsenden Formen religiöser Associationen in den paulinischen Gemeinden sich wiederfinden. So gewinnt auch die neue Idee erst ihre Bedeutung und ihren Einfluß, wenn sie sich in der altgewohnten, allen vertrauten Sprache ihren Ausdruck schafft. Dies geschieht unbeschadet ihrer Neuheit.

---

[9] Vgl. ders., Charakter 521-524; 1 Kor (^{3}1896) 8.
[10] Vgl. ders., Christengemeinden 505f; 1 Kor (^{3}1896) 8.
[11] Vgl. ders., Christengemeinden 509f; 1 Kor (^{3}1896) 8.
[12] Vgl. ders., Christengemeinden 512f.
[13] Beide Zitate: ders., Christengemeinden 521 (Herv.orig.).
[14] Vgl. dazu bes. ders., Geschichte 110-117; ders., Christengemeinden 521.
[15] Vgl. ders., 1 Kor (1880) 26.
[16] Vgl. ders., Charakter 519.
[17] Vgl. ders., 1 Kor (1880) 27.

Aber ist sie schöpferisch, dann beseelt sie zugleich das Altgewohnte und Gebräuchliche mit neuer Kraft und neuem Gehalt".[18]

Kurz gesagt: Die Gemeinden organisierten sich "nicht nach dem Vorbilde, aber in den Formen der religiösen Genossenschaften".[19]

Diese Feststellung ist angesichts der aufgezeigten Analogien erstaunlich. Es ist doch kaum vorstellbar, daß so deutliche, bis in den Sprachgebrauch sich erstreckende Gemeinsamkeiten, wie Heinrici sie behauptet, Entwicklungen sind, die sich unabhängig voneinander auf dem Hintergrund gemeinsamer geschichtlicher Umstände ergeben. Hier ist Heinrici nicht konsequent. Es gibt in Wirklichkeit nur folgende Alternativen: Entweder hat er die Analogien zutreffend beschrieben - dann müssen die Vereine tatsächlich bis zu einem gewissen Grad Vorbild der Gemeindeorganisation gewesen sein. Oder er hat zu Recht die Unabhängigkeit zwischen beiden Größen betont - dann bleibt nur die Annahme, daß die Analogien so weit nicht gehen können.

Etwa zur gleichen Zeit wie Heinrici, aber offenbar unabhängig von ihm, wies auch E. Hatch in einer seiner berühmten, von A. Harnack übersetzten Oxforder Vorlesungen auf Parallelen zwischen Vereinen und den ältesten Christengemeinden hin.[20] Hatch nennt z.T. dieselben Analogien (gleiche Terminologie für Versammlung und Ämter, gemeinsame Kasse und Mahlzeiten, Gleichberechtigung verschiedener Schichten).[21] Er bezieht sich allerdings auf einen längeren Zeitraum, nämlich die Zeit bis zur Mitte des 2.Jh. Es wird deshalb nicht klar, welche Gemeinsamkeiten er schon für die *paulinischen* Gemeinden annehmen will. Der hauptsächliche Unterschied zwischen Verein und Gemeinde liegt für Hatch in der Bedeutung der gegenseitigen Hilfeleistung: War diese auch in den Vereinen vorhanden, so doch nur als "ein Accidens"; dagegen war sie "in den christlichen Vereinen (...) das eigentliche Wesen".[22] Dieses Zitat zeigt, daß Hatch sich - anders als Heinrici - nicht scheute, von "christlichen Vereinen" zu sprechen. Für ihn war der Verein

---

[18] Ders., Charakter 508f.

[19] Ders., 1 Kor (1880) 21. Ähnlich K.J. Neumann, Der römische Staat und die allgemeine Kirche bis auf Diocletian I (1890) 46f.

[20] E. Hatch, Die Gesellschaftsverfassung der christlichen Kirchen im Alterthum (1883; die Vorlesungen wurden 1880 gehalten; einschlägig ist die zweite Vorlesung). - Zu nennen ist ferner E. v. Dobschütz, Die urchristlichen Gemeinden (1902) 50, der das Mahl der korinthischen Gemeinde von Vereinsmählern deshalb unterscheidet, weil in der Gemeinde jedes Mitglied einen Beitrag zum Mahl mitbrachte, während im Verein das Essen aus der gemeinsamen Kasse finanziert oder von einzelnen Mitgliedern gestiftet wurde.

[21] Vgl. ders., aaO. bes. 22f.31f.

[22] Beide Zitate: Ders., aaO. 28.

tatsächlich eine Organisationsform, die die Gemeinde aus der Umwelt für sich übernahm.[23]

Schärfsten Widerspruch hat die These einer Verwandtschaft zwischen Verein und Gemeinde (in der Fassung Heinricis) bei C. Holsten gefunden.[24] Die Argumentation Holstens ist ein Musterbeispiel dafür, auf welches Unverständnis sozialgeschichtliche Untersuchungen bei traditionell-idealistisch orientierten Theologen zunächst stießen. Er erkennt zwar an, daß in manchen nichtchristlichen und christlichen Augen der Antike die Gemeinde einem Verein ähnelte. Aber er bestreitet vehement, daß Paulus die Gemeinde als Kultverein organisiert habe. Diese sei vielmehr durch den transzendenten Ruf Gottes gegründet und damit "eine aus der sichtbar sinnlichen, sündigen welt herausgehobene, in dieser welt und doch außerhalb dieser welt (...) bestehende heilige genossenschaft von brüdern";[25] dementsprechend sei sie "in ihren lebensformen durch göttlichen willen, durch eine transcendente und ideelle macht bestimmt".[26] Berührungen mit Vereinen ergäben sich "für die gottesgemeinde des Paulus aus *ihm eigentümlichen principien*".[27] So sei z.B. die gleichberechtigte Stellung aller Mitglieder in der Gemeinde anders zu erklären als im Verein, nämlich als Einwirkung des Geistes, der alle Unterschiede aufhebt.[28]

Diese Abgrenzung bedeutet nichts anderes, als daß für Holsten Verein und Gemeinde weder im Sinne direkten Einflusses noch im Sinne analoger Entwicklung aufgrund gleicher Bedürfnisse verwandt sind.[29] So weit wird man aber die urchristlichen Gemeinden von ihrer sozialen Umwelt kaum isolieren können, zumal wahrscheinlich zahlreiche Gemeindemitglieder vorher Mitglieder von Vereinen waren. Die idealistische, um nicht zu sagen ideologische Perspektive Holstens ist deutlich in der Formulierung seines Ergebnisses zu erkennen: "Was von vorne herein zu erwarten war, dass Paulus die lebensformen einer kultusgenossenschaft der dämonen (1 kor. 10,20) nicht

---

23 Vgl. z.B. auch das folgende Zitat: "Als die christlichen Lehren, hauptsächlich in den größeren Städten des römischen Reiches, zuerst verkündigt wurden, war (..) der genossenschaftliche Zusammenschluß derjenigen, welche diese Lehren annahmen, keine vereinzelte und sonderliche Erscheinung mehr. Nicht alle Gläubigen aber traten sofort der Genossenschaft bei" (aaO. 20).

24 C. Holsten, Das Evangelium des Paulus I (1880) bes. 237-244.

25 Ders., aaO. 238.

26 Ders., aaO. 239.

27 Ders., aaO. 244 (Herv. von mir).

28 Vgl. ders., aaO. 240.

29 Insofern beruht der Gegensatz zu Heinrici nicht bloß auf einem Mißverständnis, wie dieser annimmt (Charakter 509).

werde benutzt haben für die lebensordnungen einer gemeinde Gottes, das bestätigt das wirkliche leben der Korinthischen gemeinde".[30] Unbestreitbar im Recht ist Holsten aber, wenn er auf konkrete Unterschiede hinweist, die Heinrici etwas verwischt: Die korinthische Gemeinde hatte weder einen gewählten Vorstand noch eine gemeinsame Kasse mit Kassenwart (vgl. 1 Kor 16,2!), wie wir sie regelmäßig bei Vereinen beobachten können.[31]

Vorsichtiger urteilt J. Weiß in Auseinandersetzung mit Heinrici:[32] Ähnlichkeiten zwischen Gemeinde und Verein (bes. die Aufhebung sozialer Unterschiede) sind nicht zu bezweifeln; unsicher ist aber, (1) ob diese von Paulus und seinen Mitarbeitern bewußt herbeigeführt wurden und (2) wie weit sie gingen.[33] Zu (1): Die Gemeindeorganisation wurde wohl von Fall zu Fall, d.h. ohne festes Konzept, betrieben; andererseits war für die Gemeinde evtl. eine rechtliche Form notwendig, die sie gegen Bedrohung von außen schützte, und eine solche könnten Mitglieder herbeigeführt haben, die sich vor oder neben der Gemeindezugehörigkeit auch an Vereinen beteiligten. Zu (2): Einzelne *konkrete* Analogien sind schwer zu benennen; nicht nur Kasse und Beamtenwahl fehlen, sondern auch Statuten, wie wir sie von Vereinen kennen. Manche Erscheinungen lassen sich auch als Analogien zu ganz anderen Sozialformen erklären; so ist etwa die Exkommunikation dem Synagogenbann näher als dem Vereinsausschluß.

> "Kurz - es muß für uns in Ermangelung konkreten Wissens bei der allgemeinen These bleiben, daß die christliche Gemeinde in Korinth in dieser Anfangszeit auf Außenstehende wohl den Eindruck eines θίασος gemacht haben kann; andrerseits hat sie aber doch auch den jüdischen Diasporagemeinden ähnlich gesehen".[34]

Diese vorsichtige Haltung wird von einigen Klassischen Philologen bzw. Althistorikern des gleichen Zeitraums geteilt: Die Analogien seien so allgemein, daß ein Zusammenhang zwischen Gemeinden und Vereinen nicht nachweisbar sei.[35]

Blicken wir auf diese Phase der Forschungsgeschichte zurück: Es zeigt sich, daß das Hauptinteresse darin bestand, Analogien zu erheben, um über solche Analogien eine eventuelle Abhängigkeit der Organisationsform "Gemeinde" vom Verein beurteilen zu können. Heinrici wollte detaillierte Analo-

---

[30] Ders., aaO. 243.
[31] So ders., aaO. 241f.
[32] J. Weiß, Der erste Korintherbrief (⁹1910; 2.Neudruck 1977).
[33] Vgl. ders., aaO. XXII-XXIV.
[34] Ders., aaO. XXIVf.
[35] So E. Ziebarth, Das griechische Vereinswesen (1896) 127-132; ähnlich W. Liebenam, Zur Geschichte und Organisation des römischen Vereinswesens (1964=1890) 267.274; E. Kornemann, Art.: Collegium (1900) 388.

gien nachweisen, aber die Konsequenz einer Abhängigkeit doch nicht ziehen. Für Hatch war eine solche Abhängigkeit erwiesen, allerdings nicht unbedingt schon für die Paulusgemeinden. Holsten leugnete sowohl echte Analogien wie Abhängigkeit, Weiß und andere konnten nur allgemeine und wenig aussagekräftige Ähnlichkeiten feststellen. Bei der Durchsicht dieser Beiträge läßt sich noch erkennen, wie faszinierend für die einen, erschreckend für die anderen die neue sozialgeschichtliche Blickweise war; daß es deshalb auf beiden Seiten zu überzogenen Urteilen kam, ist kein Wunder. Immerhin trat aufgrund dieser so verschiedenen Untersuchungen die Erkenntnis in den Gesichtskreis der Exegese, daß die paulinische Gemeinde sich in der Fremd- und z.T. auch in der Selbstwahrnehmung als Verein darstellen konnte und daß ein wesentlicher Faktor dafür die Aufhebung der gesamtgesellschaftlichen Unterschiede sowohl im Verein wie in der Gemeinde war. In den Blick kamen ferner die Fragen nach den Formen (Haus, Familie, Patronat) und der intentionalen Grundlage (Bruderliebe, Geisteswirken) der Sozialbeziehungen in der Gemeinde.

§ 2) Verhältnisbestimmungen von Gemeinden und Vereinen seit etwa 1970

Was für die sozialgeschichtliche Exegese insgesamt gilt, gilt auch für unser Thema: Nach langer Pause (seit etwa 1930) wurde es erst in den 70er Jahren wiederentdeckt.[36] Zwar gibt es m.W. noch keine Monographie speziell zum Verhältnis von Gemeinden und Vereinen, aber in einigen Publikationen zum sozialen Umfeld des NT [37] werden Vereine mitbehandelt.[38]

Auch die Forschungsbeiträge dieser neuen Phase stellen Ähnlichkeiten und Unterschiede zusammen, wobei allerdings die Frage nach der Übernah-

---

[36] Ausnahmen sind E.A. Judge, der schon in den 1960er Jahren in mehreren Beiträgen zu sozialgeschichtlichen Fragen im NT Stellung bezogen hat (vgl.auch u. § 10,1), und Bo Reicke, Diakonie (1951!) 320-338.

[37] Vgl. A. Malherbe, Social Aspects of Early Christianity (1977) bes. 87-91; L.W. Countryman, Patrons and Officers in Club and Church (1977) 135-143; B. Kötting, Art.: Genossenschaft (1978) 142-152; W.A. Meeks, Christentum und Stadtkultur (1993) 164-169; J.E. Stambaugh - D L. Balch, Das soziale Umfeld des Neuen Testaments (1992) bes. 121-123.136f.

[38] Daneben werden sie gern bei der Besprechung bestimmter Paulustexte herangezogen (z.B. 1 Kor 8-10; 11,17-34). Im folgenden berücksichtige ich solche Erwähnungen allerdings noch nicht; vgl. die Besprechung einschlägiger Texte in Teil 3, wo auch diese Literatur einbezogen wird.

16

me von nichtchristlichen Sozialformen ganz in den Hintergrund tritt. Die These, die christliche Gemeinde habe sich als collegium tenuiorum organisiert und so staatliche Duldung erfahren, spielt keine Rolle mehr.[39] Heinricis klarstes Argument für eine Vereinsstruktur der Gemeinden, die gemeinsame Terminologie, wurde von Meeks ausführlich widerlegt:[40] Die Gemeinsamkeiten beschränken sich auf προστάτις und ἐπίσκοπος, wobei allerdings προστάτις als Wiedergabe des lateinischen patrona nicht nur in Vereinen begegnet und ἐπίσκοπος in den Paulusbriefen noch kaum eine Rolle spielt. Auf der anderen Seite findet sich bei Paulus keine der üblichen Bezeichnungen für Vereine (etwa θίασος, ἔρανος) oder Vereinsämter (etwa πρύτανις, ἱερεύς) und lassen sich umgekehrt in Vereinsinschriften die Termini für die Gemeinde (ἐκκλησία) kaum und die für ihre Mitglieder (ἅγιοι, κλητοί u.ä.) nicht nachweisen.

Wichtig ist der Blick auf die Vereine für die neuere Forschung deshalb, weil er - auch ohne die These einer Abhängigkeit - ein besseres Verständnis der Sozialbeziehungen innerhalb der Gemeinden und zwischen Gemeinden und Umwelt ermöglicht. Dadurch eröffnen sich neue Perspektiven gerade auf die in den Paulusbriefen angesprochenen Konflikte.[41]

Bereits bekannte Gemeinsamkeiten, auf die immer wieder hingewiesen wird, sind die Mähler (mit vergleichbaren Ausschweifungen) und die Rolle der Gastgeber als Patrone. Weiterführend sind die Vermutungen von Meeks, daß die Gemeinden sich wie Begräbnisvereine (collegia funeraticia) unter anderem um eine würdige Bestattung und ein ehrendes Gedenken ihrer Mitglieder kümmerten und daß, wie in Berufsvereinen, auch in Gemeinden viele Christen durch das gleiche Handwerk oder Gewerbe verbunden waren.[42]

Gegenüber der ersten Forschungsphase treten nun aber die Unterschiede stärker hervor. Die Einzelgemeinde gehört, anders als der einzelne Verein, zu einer weltweiten Gemeinschaft. Sie hatte auch einen anderen Anspruch an ihre Mitglieder, indem sie diese in eine umfassende und exklusive Lebensgemeinschaft einband: umfassend, weil sie nicht nur auf Geselligkeit mit religiösem Hintergrund und gesicherter Bestattung zielte, sondern alle Lebensbereiche integrieren wollte; damit dann auch exklusiv, was insbesondere Mitgliedschaft in nichtchristlichen Kultvereinen ausschloß.[43] Für unseren Zusammenhang sind zwei Beobachtungen besonders relevant:

---

[39] Vgl. Kötting, aaO. 146.
[40] Meeks, Christentum 168f.
[41] Vgl. dazu Teil 3.
[42] Vgl. Meeks, Christentum 165.
[43] Vgl. Kötting, Art.: Genossenschaft 143; Meeks, ebd.

17

(1) Zwar gab es in Gemeinden Gastgeber, die als Patrone fungierten, aber deren Stellung war, was Einfluß und Prestige betrifft, weit schwächer und weniger attraktiv als die der Vereinspatrone.[44]

(2) Vereine rekrutierten sich meist aus sozial etwa gleichgestellten Personen, und wo tatsächlich eine gewisse Mischung gegeben war, brachte diese zumindest eine klare Hierarchie innerhalb des Vereins mit sich. Gemeinden dagegen wiesen eine weit größere soziale Heterogenität auf und verbanden damit eine geringere Hierarchie in der Gruppe. Die Aufhebung gesamtgesellschaftlicher sozialer Unterschiede war also innerhalb der Gemeinde sehr viel ausgeprägter als im Verein.[45] Diese Ansicht ist in der Exegese inzwischen weit verbreitet.[46] Die soziale Mischung erscheint als ein charakteristisches Novum. Damit berühren wir die umfassendere Frage nach der sozialen Zusammensetzung des frühen Christentums, die unten in § 10,1 besprochen wird.

Hier ist zunächst nur soviel festzuhalten: Die zwei eben angeführten Beobachtungen fügen sich gut in die Tendenz der neueren Forschung ein, die *Unterschiede* zwischen Gemeinden und Vereinen zu betonen. Nicht mehr die Existenz von Patronen und die Relativierung von Statusunterschieden an sich, die ja beiden Größen gemeinsam sind, sondern ihre unterschiedliche Ausprägung steht im Mittelpunkt. Die in der Einleitung vorgestellten Thesen von Chow und Clarke entsprechen insofern völlig der neueren Forschungsrichtung und führen sie weiter. An diesem Punkt setzt die folgende Untersuchung ein, indem sie die Betonung der Unterschiede zwischen Verein und Gemeinde einer kritischen Prüfung unterzieht.

---

[44] So Meeks, ebd. Die Thesen von Countryman, Patrons 137-140, wonach es schon in den paulinischen Gemeinden eine Spannung zwischen zwei Machtzentren, den Patronen und den Amtsträgern, gegeben habe (weil die reichen Mitglieder sich und ihre Spenden in die Gemeinde ein- und damit den Amtsträgern unterordnen sollten, dies aber nicht wollten), scheinen mir Verhältnisse des 2./3. Jh.s vorauszusetzen.

[45] So Meeks, aaO. 167; Stambaugh - Balch, Umfeld 137; Malherbe, Aspects 87; Kötting, Art.: Genossenschaft 144.

[46] Sie ist auch in Literatur oft zu finden, die sich mit unserer Frage nur am Rande befaßt, vgl. B. Holmberg, Sociology and the New Testament (1990) 41f.58.75.

2. Teil: Statusdifferenzierung in griechisch-römischen Vereinen

Obwohl die antiken Vereine in vielerlei Hinsicht mit unseren heutigen übereinstimmen, waren sie doch Teil eines sehr verschiedenen gesellschaftlichen Systems und von diesem geprägt. Die Frage nach den Sozialbeziehungen innerhalb von Vereinen, insbesondere nach Hierarchie und Egalität, erfordert deshalb vorweg einen Blick auf die soziale Schichtung der Gesamtgesellschaft. Wir müssen vor allem folgende Fragen stellen: Welche Klassifizierungsmodelle lassen sich hier sinnvoll anwenden und zu welchem Ergebnis führen sie? Welche Grundformen von Beziehungen zwischen den so ermittelten Schichten gibt es?

§ 3) Soziale Schichtung im römischen Reich des 1. Jahrhunderts n. Chr.

1. Rang und Status

Wenn in der Überschrift dieses Paragraphen von "Schichtung" die Rede ist, dann ist hier nur die kaum bestreitbare Beobachtung vorausgesetzt, daß es in jeder Gesellschaft verschiedene "Schichten" gibt. Dieser Terminus ist eine ausgesprochen allgemeine und wenig aussagekräftige, eben deshalb auch überall anwendbare Klassifizierungskategorie. Er stützt sich auf (meist nicht genau definierte) Unterschiede in Besitz und Macht, aber auch auf pauschale Urteile im Bewußtsein der Zeitgenossen. Auf das römische Reich angewandt, führt er immerhin zu der interessanten Feststellung, daß wir hier im Grunde nur zwei Schichten unterscheiden können: die honestiores ("ehrenwerteren") und die humiliores ("niedrigeren"). Natürlich sind diese selbst wieder aus verschiedenen Gruppen oder Schichten zusammengesetzt, die honestiores aus Senatoren, Rittern und Dekurionen, die humiliores aus Freigeborenen, Freigelassenen und Sklaven.[1] Deshalb ist es sinnvoll, von Ober- und Unterschichten zu sprechen. Daß die Annahme einer Zweiteilung aber dennoch berechtigt ist, zeigt vor allem die unterschiedliche Behandlung dieser Schichten vor Gericht: z.B. wurden für ein und dasselbe Vergehen Angehörige der

---

[1] Vgl. Alföldy, Sozialgeschichte 119: Es gibt zwischen ingenuus, libertus und servus ein gewisses Gefälle, aber "keine eindeutigen sozialen Trennlinien", denn "Besitz- oder Nichtbesitz von Produktionsmitteln, relative Wohlhabenheit oder Armut, partielle oder totale Abhängigkeit von den Oberschichten" bestimmen in jeder dieser drei Gruppen die innere Schichtung.

Oberschichten in die Verbannung geschickt, Angehörige der Unterschichten hingerichtet.[2]

Etwas spezieller ist die Redeweise von "Klassen", auch wenn es keine einheitliche soziologische Definition dieses Begriffs gibt. Er wird gewöhnlich mit dem ökonomischen Bereich verbunden; nach Karl Marx bezeichnet er Bevölkerungsgruppierungen, die sich durch Besitz oder Nichtbesitz von Produktionsmitteln unterscheiden. Im Hinblick auf die uns interessierende Gesellschaft ist diese Klassifizierung aber wenig hilfreich: Wie M.I. Finley richtig gesehen hat, müßte man ja Sklaven und freie Lohnarbeiter derselben Klasse zurechnen, ebenso steinreiche Senatoren und bescheiden wohlhabende Besitzer von kleinen Gewerbebetrieben, die selbst nicht mehr arbeiten.[3] Die Zugehörigkeit zu einer Klasse sagt hier nicht viel aus.

Weiterführend ist die römische Einteilung der ordines, rechtlich definierter Stände in der Gesellschaft, die sich an Besitz, Abstammung und moralischen Qualitäten orientierten.[4] Der oberste Rang eines *Senators* setzte seit Augustus einen Besitz von 1.000.000 Sesterzen voraus.[5] Augustus förderte auch die Erblichkeit des Senatorentitels, die allerdings auf drei Generationen begrenzt war und nicht ausschloß, daß der Kaiser diesen Titel als Belohnung auch an andere verleihen konnte. Dennoch gehörte hochstehende Abstammung zu den üblichen Kriterien. Die Zahl der Senatoren wurde von Augustus auf 600 festgesetzt. Zahlreicher, nämlich mehrere Tausend, waren die römischen *Ritter*, die ähnliche, aber weniger strenge Kriterien erfüllen mußten. Ihr Besitz mußte mindestens 400.000 Sesterzen betragen, ihre Familie durfte (seit Tiberius) in den zwei vorausgehenden Generationen keinen Sklaven oder Freigelassenen aufweisen. Sie erfüllten wie die Senatoren militärische und Verwaltungsaufgaben, aber in der Regel auf weniger wichtigen Posten. Wie Senatoren konnten sie ihren Rang wegen unwürdigem, skandalösem Betragen verlieren. Noch weiter heruntergestufte, aber nicht mehr absolut definierte Anforderungen betrafen die *Dekurionen*, d.h. die Aristokratie und Ratsmitglieder der Provinzstädte. Diesen Rang konnten schon Söhne von Freigelassenen (nicht Freigelassene selbst) erreichen, sofern sie zu den 100 reichsten Bürgern einer Stadt gehörten.

---

[2] Vittinghoff, Gesellschaft 233-235, sieht in honestiores und humiliores überhaupt nur juristische, keine sozialen Kategorien, die also den Rechtsstatus, nicht den Sozialstatus betreffen. Mir scheint fraglich, ob sich diese Trennung wirklich halten läßt.

[3] Vgl. Finley, Economy 49.

[4] Vgl. hierzu bes. Garnsey - Saller, Kaiserreich 160-167; ferner Vittinghoff, Gesellschaft 214-240; Stambaugh-Balch, Umfeld 106-109; Clarke, Leadership 27-29.

[5] Stambaugh-Balch, aaO. 107, sprechen irrtümlich von einem Mindestbesitz von hundert Millionen Sesterzen.

Die drei bisher genannten ordines machten zusammen nicht einmal ein Prozent der Bevölkerung aus.[6] Die große Masse war rechtlich gegliedert in Freigeborene, Freigelassene und Sklaven. Diese Einteilung der Unterschichten besitzt zwar klar definierte Kriterien, ist aber weniger aussagekräftig als die der Oberschichten: Freigeborene und Freigelassene konnten sich durch den Besitz oder Nichtbesitz des römischen Bürgerrechts unterscheiden; Sklaven eines römischen Bürgers erhielten bei der Freilassung das Bürgerrecht (mit einigen Einschränkungen), standen als Freigelassene in dieser Hinsicht also höher als ein freigeborener Nichtrömer. Ferner waren die Vermögensunterschiede in diesen Gruppen enorm: Der Reichtum mancher Freigelassener (wie z.b. des fiktiven Trimalchio im Satyricon des Petronius) übertraf den vieler honestiores. Selbst Sklaven waren teilweise in der Lage, für ihren Freikauf privaten Besitz anzusparen, der über dem armer Freigeborener lag. Auch bildungsmäßig waren viele Sklaven, insbesondere versklavte Kriegsgefangene aus dem griechischen Osten, ihren römischen Herren überlegen.

Die soziale Schichtung des allergrößten Teils der Bevölkerung ist also mit Hilfe des rechtlich fixierten Ranges oder Standes nur unzureichend zu erheben. Heute wird deshalb für diesen Zweck ein anderes Klassifizierungssystem bevorzugt: das des Status. Rang und Status verhalten sich nach E.A. Judge folgendermaßen:

> "'Rang' soll jede formal definierte Position in der Gesellschaft bezeichnen, während 'Status' sich auf Positionen mit Einfluß bezieht, die dem offiziellen Muster der sozialen Ordnung nicht entsprechen müssen. Status tendiert dazu, sich in Rang zu verwandeln, und Rang ist der versteinerte Status der Vergangenheit, der sich gegen die Hoffnungen und Bestrebungen derer richtet, die nur (oft neu erworbenen) Status haben."[7]

In dieser Definition wird der vage, fließende Charakter von Status deutlich.[8] Status wird nicht wie der ordo durch allgemein bekannte, vorgegebene Normen festgelegt, sondern durch das Urteil von Gruppen in der Gesellschaft, die ihre eigenen Mitglieder und die anderer Gruppen in eine soziale Hierarchie einordnen. Ein solches Urteil orientiert sich an verschiedenen Kriterien oder Statusindikatoren: Besitz, Macht, Einfluß, Abstammung, Bildung, Beruf, Ämter, Geschlecht usw. Der Status (oder: das Prestige) eines Individuums oder einer Gruppe hängt nicht nur von zwei oder drei Indikatoren ab wie beim ordo, sondern von einer Vielzahl von Variablen, die ein Gesamt-

---

[6] Vgl. Meeks, Christentum 116.
[7] Judge, Rank 9.
[8] Zur Definition von Status vgl. auch Garnsey - Saller, Kaiserreich 168; Meeks, Christentum 118; Funk, Status 12-16; Rohrbaugh, Considerations 538f.

bild ergeben. Bei der Zuordnung zu einem Rang spielen wenige Kriterien eine Rolle, die aber alle erfüllt sein müssen; insbesondere genügt Besitz allein, ohne entsprechende Herkunft, nicht, um zu den honestiores zu zählen. Von dieser Regelung waren viele reich gewordene Freigelassene betroffen: Ihr Reichtum hatte für ihren Rang keine Bedeutung. Für den (Gesamt-) Status dagegen zählen viele, auch miteinander in Spannung stehende Einzelstatus.

Bei der Verbindung solcher Einzelstatus kommt die Möglichkeit unterschiedlicher Gewichtung ins Spiel. Nicht für alle Gruppen sind dieselben Statusindikatoren gleich wichtig. Daraus ergibt sich, wiederum im Unterschied zum ordo, daß das Urteil über den Status einer Person oder einer Gruppe verschieden ausfallen kann. Gruppeninterner und gesamtgesellschaftlicher Status fallen nicht unbedingt zusammen.

Eine Gemeinsamkeit von Rang und Status im römischen Reich war, daß beide mit großem Ernst demonstriert wurden. Dies ist für den Status selbstverständlich, denn er lebt ja vom Urteil der anderen. Daß auch der (vom Urteil der anderen weitgehend unabhängige) hohe Rang unübersehbar zur Schau gestellt wurde, weist auf die Bedeutung hin, die der sozialen Hierarchie gesamtgesellschaftlich zukam.[9] In den oberen Schichten waren Rangunterschiede am Auftreten in der Öffentlichkeit erkennbar: an der Kleidung (Toga mit schmalem oder breitem Purpurstreifen), an der Begleitung (die Zahl der Liktoren), am Sitzplatz im Theater (bestimmte Plätze waren für die höheren Ränge reserviert). Statusunterschiede, die ja die gesamte Bevölkerung betrafen, zeigten sich in der Demonstration von Einfluß und Reichtum durch mehr oder weniger prächtige Häuser, mehr oder weniger zahlreiche Sklaven und vor allem anhand der Übernahme einer Rolle als Patron oder Klient.

2. Patrone und Klienten

Das Verhältnis zwischen Patron (patronus) und Klient (cliens) ist "eine Austauschbeziehung zwischen Menschen mit ungleichem sozialem Status".[10]

Beginnen wir mit dem letzten Element dieser Definition. Patronat ist etwas anderes als Freundschaft, obwohl eine gewisse Überschneidung besteht.

---

[9] Vgl. dazu MacMullen, Relations 123.
[10] Saller, Patronage 8. Neben dieser ausgezeichneten Darstellung vgl. zur folgenden Skizzierung des griechisch-römischen Patronats noch Bleicken, Verfassung 20-22; Bormann, Philippi 187-205; Chow, Patronage 31-33; Clarke, Leadership 31-36; Eisenstadt - Roniger, Patrons 53-64; Garnsey - Saller, Kaiserreich 211-227; Stambaugh - Balch, Umfeld 59f.

Freundschaft [11] stellt zwar ebenfalls eine Austauschbeziehung dar, ist aber im sozialen System der griechisch-römischen Antike nur zwischen Menschen möglich, die vergleichbaren sozialen Status besitzen. Dieser muß sich dadurch ausweisen, daß die Freunde einander Geschenke und Gefälligkeiten gleicher Art und Größe zukommen lassen. [12] Der Austausch solcher Gaben ist immer mit einem unausgesprochenen Wettkampf verbunden: Kann ein Freund die Gunst nicht mit mindestens ebenso wertvollen Gegengaben vergelten, sinkt er auf das Niveau eines "niedrigeren Freundes" oder gar eines Klienten herab, d.h. die symmetrische wird zu einer assymmetrischen Beziehung. Ein niedrigerer Freund besitzt nicht mehr oder noch nicht den gleichen Status, hat aber grundsätzlich die Voraussetzungen dafür; so stellen sich junge Männer am Beginn ihrer Karriere unter die Protektion eines älteren, arrivierten Mannes, der seinen Einfluß für sie zur Geltung bringt. Das Klientelverhältnis ist hier also vorübergehend. Patron und Klient dagegen stehen auf so verschiedenen gesellschaftlichen Stufen, daß eine zukünftige Gleichstellung ausgeschlossen ist.

Der Austausch hat im Fall des Patronats natürlich anderen Charakter: Es geht nicht um Güter gleicher Kategorie. Was der Patron in die Beziehung einbringt, sind Wohltaten (beneficia), die in Geld- oder Naturaliengeschenken, Vertretung vor Gericht, Hilfe bei der Erreichung beruflicher Ziele, Versorgung mit Land und ähnlichem bestehen. Er mußte dafür sorgen, "daß der Client als soziales Wesen nicht unterging". [13] Diese Fürsorge hatte nicht den Charakter von Wohltätigkeit aus Menschenliebe oder sozialem Verantwortungsgefühl. Gerade die Niedrigsten und Ärmsten kamen am wenigsten in ihren Genuß. Voraussetzung selbst für ein Klientelverhältnis war, daß der Klient für die empfangenen beneficia etwas zu bieten hatte. In der römischen Republik war es vor allem das Stimmrecht, von dem er bei Wahlen zugunsten des Patrons Gebrauch machen konnte. Im Prinzipat wurden andere Leistungen wichtiger: die Beteiligung an der salutatio, dem Morgengruß der Klienten an den Patron in dessen Haus; seine Begleitung in der Öffentlichkeit, d.h. die Vergrößerung seines Gefolges; der Beifall bei Reden

---

[11] Zur Freundschaft (amicitia) zwischen Gleichen und Ungleichen vgl. bes. Garnsey - Saller, Kaiserreich 217-222.

[12] Diese Gegenseitigkeitsethik regelte nicht nur private, sondern auch öffentliche Beziehungen: Auf allen Ebenen der Verwaltung waren beneficia für Freunde die Regel und keineswegs verpönt; auch der Kaiser vergab z.B. Ämter weniger nach sachlichen als nach persönlichen Gesichtspunkten, d.h. als Gefallen für Freunde (vgl. Saller, Patronage 30.33.110).

[13] Bleicken, Verfassung 21.

des Patrons u.ä. Immer geht es um Beiträge zu seinem sozialen Prestige, seinem Status. Zum einen ist die Größe der Klientel Ausdruck des Status, denn sie zeigt, daß der Patron in der Lage ist, mit seiner Macht und seinem Reichtum die Bedürfnisse vieler zu befriedigen. Andererseits ist natürlich ein Klient für den Status des Patrons um so wertvoller, je höher dessen eigener Status ist. Deshalb haben diejenigen, die gar nichts zu bieten haben, auch nichts zu erwarten.

Klientelbeziehungen gibt es nicht nur zwischen Einzelpersonen, obwohl das der häufigste Fall ist. Die Klientel kann auch aus einer Gruppe bestehen, deren Mitglieder nicht allein die Beziehung zum gleichen Patron gemeinsam haben. So gab es ganze Städte, Provinzen und Vasallenkönigtümer, die sich einen einflußreichen Politiker als Patron suchten, um ihre Interessen in Rom zur Geltung zu bringen. In kleinerem Maßstab finden wir eine solche Gruppenklientel in Vereinen. Jeder Verein bemüht sich um einen Patron, der Schutz und Unterstützung gewähren soll. Auch hier gilt: Nur der Verein hat etwas zu erwarten, der selbst etwas zu bieten hat.[14]

§ 4) Vereine im Überblick

Die Vereine der griechisch-römischen Antike interessieren in unserem Zusammenhang nur insofern, als sie soziale Größen darstellen, die mit urchristlichen Gemeinden verglichen werden können. Es ist aber bei der ungeheuren Vielfalt solcher Vereine gar nicht leicht zu sagen, welche denn für einen Vergleich sinnvoll herangezogen werden können. Sie unterscheiden sich in geographisch-kultureller (lateinischer Westen - griechischer Osten), zeitlicher (Entwicklungen etwa vom 4.Jh.v.Chr. bis zum 3.Jh.n.Chr.) und funktionaler Hinsicht (verschiedene Vereinszwecke). Eine Beschränkung des Vergleichs auf Vereine, die aus den Städten der Paulusgemeinden, für die Mitte des 1.Jahrhunderts und als explizit religiöse Vereine bezeugt sind, läßt sich nicht durchführen - es stünde dann einfach zu wenig Vergleichsmaterial zur Verfügung. Es wird im folgenden Überblick also vor allem um die Frage gehen, welche Vereine für unsere Zwecke relevant sind, d.h. wie weit und wie eng die Grenzen gezogen werden müssen bzw. können.

---

[14] Genaueres dazu u. in § 5,1.

1. Quellenlage

Obwohl oder gerade weil Vereine in der griechischen und römischen Welt eine sehr populäre Erscheinung waren, gibt es Zeugnisse über sie fast nur in Form von Inschriften. Die Erklärung ist einfach und hängt gerade mit der Popularität zusammen: In Vereinen verbanden sich nicht Mitglieder der höheren, Literatur produzierenden Schichten, sondern nur relativ einfache Leute, die sich allenfalls in Inschriften verewigten.

Solche Inschriften gibt es in Fülle.[15] Man kann vor allem drei Gattungen unterscheiden:

(1) Verzeichnisse der Mitglieder,

(2) Vereinsdekrete,

(3) Vereinsstatuten.

Mitgliederlisten enthalten in der Regel Namen und Funktionen im Verein. Ihre Ordnung ist hierarchisch, von oben nach unten. Am Anfang steht der Patron bzw. stehen die Patrone, dann die Amtsträger (abgestuft nach der Würde ihres Amtes), die einfachen Mitglieder und ggf. am Ende Diener oder vereinseigene Sklaven. Solche Listen erlauben (mit gewissen Einschränkungen[16]) Einblicke in die Vereinsgröße und die vereinsinterne Struktur. Die Auswertung der Namen ermöglicht darüberhinaus gewisse Aussagen über die gesellschaftliche Stellung der Mitglieder, insbes. über den Anteil von Sklaven, Freigelassenen und Freigeborenen oder von römischen Bürgern und Nicht-Bürgern.[17]

Vereinsdekrete sind meist Beschlüsse, die der Verein insgesamt gefaßt hat und die von den Amtsträgern umzusetzen sind. Häufig sind vor allem Inschriften zu Ehren von aktiven oder potentiellen Wohltätern, die Dank für empfangene Spenden ausdrücken oder zukünftige Spenden anregen wollen. So heißt es etwa in einer tabula patronatus von 261 n.Chr. aus Umbrien:

> "Weil wir in der Vergangenheit von Coretus Fuscus, dem Patron, Upsiaesia Martina, der Patronin, und Coretus Sabinus, ihrem Sohn, in Liebe geleistete Wohltaten empfangen haben, hoffen wir jetzt auch für die Zukunft (...), daß ganz ähnliche Wohltaten, wie wir sie jetzt spüren, fortwährend aus ihrem Haus hervorgehen werden."[18]

---

[15] Die SIG[3/4] III bietet 125 Inschriften von religiösen Vereinen, die ILS verweisen im Index auf 550 Vereinsinschriften. Allein von römischen Begräbnisvereinen sind bei Schiess, Collegia 111-140, 363 Inschriften zusammengestellt. Waltzing hat im 3. Band seiner "Étude historique" 2432 Inschriften von Berufs-, religiösen und Begräbnisvereinen gesammelt.

[16] Vgl. Poland, Geschichte 279: Mitgliederlisten sind oft verstümmelt überliefert, enthielten aber schon ursprünglich nicht unbedingt *alle* Mitglieder.

[17] Vgl. dazu u. § 5,3.

[18] ILS II/2,7221.

Ein interessanter Sonderfall ist eine Inschrift aus Alburnum maius in Dakien (167 n.Chr.),[19] in der die verbliebenen Amtsträger eines Begräbnisvereins mitteilen, daß der Verein aufgrund von Mitgliederschwund aufgelöst wurde und niemand mehr mit einem Begräbnis auf Vereinskosten rechnen kann.

In einigen wenigen, für uns sehr glücklichen Fällen ist das Statut erhalten geblieben, das sich ein Verein gegeben hat. Solche Inschriften geben detaillierte Auskunft über Vereinszweck, -strukur und -leben, lassen sich allerdings an einer Hand abzählen:[20]

(1) Eine griechische Inschrift aus Philadelphia (Lydien) vom Ende des 2./Anfang des 1.Jh.v.Chr.:[21] Ein gewisser *Dionysios* gründet, wohl in seinem Haus, auf einen Traum hin einen Mysterienkultverein für mehrere griechische Götter, die nun zusammen mit einer kleinasiatischen, also einheimischen Gottheit verehrt werden.

(2) Eine lateinische Inschrift aus *Lanuvium*, einer Provinzstadt südöstlich von Rom, von 136 n.Chr.:[22] Es handelt sich um einen sozial sehr tief stehenden, der Diana und dem Antinous geweihten Verein, der sich die ehrenvolle Bestattung seiner Mitglieder zur Aufgabe macht und zu verschiedenen Anlässen (bescheidene) Festmähler hält.

(3) Eine lateinische Inschrift aus Rom von 153 n.Chr.:[23] Ein sozial höhergestellter Verein für *Aesculap und Hygia*, der von zwei reichen Stiftern mit den großen Stiftungssummen von 50.000 und 10.000 Sesterzen zur Erinnerung an ihren Mann bzw. Bruder ins Leben gerufen wurde.

(4) Eine griechische Inschrift aus Athen von 178 n.Chr.:[24] Ein Kultverein von *Iobacchen* (Verehrern des Dionysos) erhält als neuen Priester und damit Vorsitzenden den berühmten Herodes Atticus. Aus diesem Anlaß werden die Statuten aufgezeichnet.

---

[19] Text: ILS II/2,7215. Besprechungen: Biró, Collegium pass.; Mommsen, Collegiis 93-95.

[20] Zusätzlich zu den folgenden ist auf weitere vier Inschriften hinzuweisen, die ebenfalls Statuten enthalten, aber wesentlich weniger informativ sind: zwei Inschriften von Begräbnisvereinen (Text und Besprechung bei Robertis, Contributi 55-86.136-140) und zwei Inschriften von Berufsvereinen (Text: ILS II/2,7214; CIL VI,10298 [Text mit Kommentar bei Waltzing, Étude III,281-284]), beide aus Rom.

[21] Text und Kommentar: SIG[3/4] III,985; Weinreich, Stiftung pass.; Sokolowski, Lois sacrées 53-58; Barton - Horsley, Cult Group pass. (mit englischer Übersetzung).

[22] Text: ILS II/2,7212; Liebenam, Geschichte 321-323; Mommsen, Collegiis (im Anhang). Deutsche Übersetzung (auszugsweise) bei Wilken, Christen 51-53. Besprechungen bei Mommsen, aaO. 98-115; Hopkins, Death 214; Carcopino, Alltagsleben 423f.

[23] Text: ILS II/2,7213; Liebenam, Geschichte 323f. Besprechung bei Mommsen, aaO. 92f.

[24] Text: SIG[3/4] III,1109. Deutsche Übersetzungen (auszugsweise): Tod, Streiflichter 57-62; Wilken, Christen 55-58. Besprechung bei Fox, Pagans 85-87.

Diese vier Inschriften sind im Anhang zweisprachig wiedergegeben. Wo im folgenden Text auf sie Bezug genommen wird, sind sie mit den oben kursiv gedruckten Namen gekennzeichnet.

2. *Vielfalt und Gemeinsamkeiten*

Im Oxford Classical Dictionary wird "Verein" definiert als ein "freiwilliger Zusammenschluß von Personen, mehr oder weniger dauerhaft organisiert, zur Verfolgung eines gemeinsamen Ziels".[25] Diese Definition ist denkbar allgemein gehalten und deshalb sicher für das gesamte Vereinswesen der Antike zutreffend. Sie ist auch nicht ohne Aussagekraft: Sie impliziert z.B., daß die vom Staat erzwungenen Zusammenschlüsse von Berufskollegen ab Ende des 3.Jahrhunderts n.Chr. nicht mehr als Vereine gelten können. Dennoch ist sie für unsere Zwecke unzureichend, denn auf dieser Grundlage könnten wir Paulusgemeinden auch mit einem beliebigen "e.V." unserer Tage vergleichen. Es ist deshalb notwendig, die Vielfalt des griechisch-römischen Vereinswesens in den Blick zu nehmen und nach Gemeinsamkeiten in dieser zunächst verwirrenden Fülle zu fragen. Eine ausführliche Behandlung der Entwicklung und Differenzierung von Vereinen ist hier natürlich nicht möglich. Ich stütze mich auf vorliegende Darstellungen [26] und gehe der bereits formulierten Frage nach, welche Vereine für unsere Zwecke relevant sind. Konkret heißt das z.B.: Können die oben vorgestellten Inschriften mit Vereinsstatuten sinnvoll mit Paulusgemeinden verglichen werden, obwohl sie aus anderen Jahrhunderten und z.T. aus einem anderen Kulturkreis stammen?

Interessant sind hier zunächst die Motive, die zur Bildung von bzw. zum Eintritt in Vereine führten. Es ist dabei nicht damit getan, für Kultvereine religiöse Bedürfnisse, für Berufsgenossenschaften ökomische Bedürfnisse etc. geltend zu machen, sondern es ist zu fragen, warum das Vereinswesen zu bestimmten Zeiten in besonderer Weise aufblühte. Dies war zweifellos der Fall in der Epoche des frühen Hellenismus und im römischen Reich des 1./2.Jh.n.Chr. Die Annahme scheint mir durchaus überzeugend, daß in beiden geschichtlichen Situationen in breiten Schichten ähnliche Bedürfnisse entstanden, die von Vereinen befriedigt wurden. Zum einen boten sie einen gewissen Ersatz für den Verlust politischer Mitwirkungsmöglichkeiten: Wenig-

---

[25] Tod, Art.: Clubs 254.

[26] Vgl. dazu bes. Bleicken, Verfassungs- und Sozialgeschichte 27.88-95; Herrmann, Art.: Genossenschaft pass.; Kornemann, Art.: Collegium bes. 380-403; Poland, Geschichte bes. 514-520; Popkes, Art.: Gemeinschaft pass.; Stöckle, Art.: Berufsvereine 155-182.203f; Tod, Streiflichter 47f; Vittinghoff, Gesellschaft 208-214; Waltzing, Étude bes. I, 339-341; Waszink, Art.: Genossenschaft pass.; Ziebarth, Vereinswesen bes. 4-136.

stens im Verein konnte man noch Beschlüsse fassen und Bestätigung finden. Zum anderen vermittelten sie Geborgenheit und Identität in einer unüberschaubar gewordenen Umwelt: Der Verein fungierte als ein Gegengewicht zum Individualismus und Kosmopolitismus der hellenistischen Welt bzw. des riesigen römischen Reichs.[27]

Die Haltung des Staats gegenüber den Vereinen war im griechischen und römischen Bereich nicht die gleiche. Während in den griechischen Staaten Vereine im allgemeinen große Freiheit genossen,[28] kam es in Rom zumindest ab der späten Republik [29] zu Vereinsverboten.[30] Im Jahr 64 v.Chr. wurden vom Senat wegen politischer Aktivitäten alle Vereine aufgelöst. Nach Wiederzulassung (58 v.Chr.) und Wiederverbot (durch Caesar) kam es schließlich unter Augustus zu einer bleibenden Regelung durch die lex Iulia: Alle Vereine wurden verboten, mit Ausnahme der althergebrachten, d.h. alter Kult- und Handwerkervereine, und der bereits ausdrücklich erlaubten, z.B. der jüdischen Genossenschaften. Ansonsten mußte jeder neue Verein von Kaiser und Senat eine eigene Konzession einholen. Dieses bald auch für Italien und die Provinzen gültige Gesetz wurde im Laufe des 1. oder Anfang des 2.Jahrhunderts n.Chr. mit einer Ausnahme versehen, die in der 136 n.Chr. entstandenen Inschrift aus Lanuvium [31] und bei Marcian [32] genannt ist:[33] Von der Konzessionspflicht befreit sind durch Senatsbeschluß die Vereine der tenuiores, d.h. von Leuten mit niedriger sozialer Stellung, sofern sie sich nur einmal im Monat versammeln, um einen Beitrag für das Begräbnis

---

[27] Ähnlich Bleicken, aaO. 27.90; Herrmann, aaO. 94; Poland, aaO. 516; Popkes, aaO. 1117; Stöckle, aaO. 156; Waltzing, Étude I,332.

[28] Vgl. Herrmann, aaO. 98f.

[29] Das Einschreiten des Senats gegen die Bacchusvereine im Zusammenhang mit dem Bacchanalienskandal 186 v.Chr. könnte schon Ausdruck der beinahe paranoiden Angst vor unkontrollierbarem Wachstum der Vereine sein, wie sie die Kaiserzeit prägte. Es könnte aber auch einfach mit der Übertretung allgemeiner, also nicht speziell für Vereine gültiger Gesetze und Moralvorstellungen zu tun haben (so Kornemann, Art.: Collegium 405; Waszink, Art.: Genossenschaft 110).

[30] Vgl. dazu Ausbüttel, Untersuchungen 92; Bleicken, Verfassungs- und Sozialgeschichte 91; Dill, Roman Society 254; Kornemann, aaO. 405-410; Liebenam, Geschichte 29-32; Mommsen, Collegiis 78-91; Schiess, Collegia 2-8; Waszink, aaO. 104-112.

[31] I,10-12.

[32] Dig. 47,22,1.

[33] Die Beziehung beider Texte auf denselben Senatsbeschluß stammt von Mommsen und wird heute weithin akzeptiert (vgl. Waszink, Art.: Genossenschaft 104-106). Weber, Geschichte 250, will mit Robertis diese Ausnahme in der Regierungszeit des Claudius ansetzen; LaPiana, Groups 242, datiert sie auf etwa 100; nach Waszink, aaO. 107 (im Anschluß an Eliachevitch), spricht die Tatsache, daß das Senatus Consultum in der Lanuviuminschrift überhaupt zitiert wird, eher dafür, daß es damals (also 136) noch neu war.

der Vereinsmitglieder einzusammeln.[34] Allerdings wird vielfach wohl mit Recht angenommen, daß schon vor und neben dieser Ausnahme auch viele andere Vereine existierten, entweder, weil es nicht schwer war, die geforderte Konzession zu bekommen,[35] oder weil konzessionslose Vereine vom Staat doch so lange geduldet wurden, als sie nicht negativ auffielen.[36]

Wie kommt es zu dieser unterschiedlichen Beurteilung der Vereine von Seiten des Staates und was bedeutet sie für die Ausgestaltung der Vereine? Die römischen Vorbehalte sind kaum schon mit der Auskunft erklärt, daß man eine Wiederholung der politischen Rolle der Vereine in den Bürgerkriegen als schlagkräftige "pressure groups" vermeiden wollte.[37] Diese Gefahr war im Prinzipat ja gering. Sucht man nach überzeugenderen Deutungen, bleibt man allerdings auf Vermutungen angewiesen: Gab es in den Vereinen ein basisdemokratisches Bewußtsein, das der herrschenden Oligarchie nicht geheuer war?[38] Gefährdeten die Kommunikation und Solidarität einfacher Leute in Vereinen das Organisationsmonopol und damit die Macht der Oberschichten?[39] Ging der Abbau sozialer Schranken, der in gewissem Maße in den Vereinen stattfand,[40] denjenigen zu weit, die von solchen Schranken profitierten? Diese Vermutungen gehen in die gleiche Richtung und schließen einander nicht aus. Es dürfte jedenfalls am unterschiedlichen staatlichen und gesellschaftlichen Kontext und nicht an verschiedenen Ausprägungen der Vereine liegen, daß sie im römischen Reich (und damit dann auch im griechischen Osten) weit stärker reguliert wurden als in den griechischen Staaten vor der römischen Herrschaft. Die obrigkeitliche Kontrolle hat auch kaum die Ausrichtung der Vereine wesentlich verändert. Zwar haben sicher (bes. nach dem Erlaß des oben genannten Senatus Consultum) manche Vereine ihre religiöse Zielsetzung oder den Vereinszweck der Begräbnisfürsorge herausgestrichen, um staatliche Duldung oder Erlaubnis zu erreichen.[41] Daß damit aber zumindest in den Munizipien nicht eine völlige Abkehr von politi-

---

[34] Näherhin sind die bei Marcian angesprochenen Vereine von tenuiores wohl nicht vollständig identisch mit den in der Inschrift genannten Begräbnisvereinen; diese dürften innerhalb der collegia tenuiorum nur eine bedeutende Gruppe bilden. Vgl. dazu Ausbüttel, Untersuchungen 29; LaPiana, aaO. 243; Schiess, Collegia 8; Vittinghoff, Gesellschaft 210f; Waszink, aaO. 106.

[35] So Liebenam, Geschichte 32.

[36] So Hopkins, Death 212 Anm.15; LaPiana, Groups 245.

[37] So offenbar Hopkins, aaO. 212.

[38] So Fellmeth, Bewußtsein 65-69; ders., Vereine 195-197.

[39] So eine mündlich geäußerte Vermutung von Dr. Bernhard Linke vom Institut für Alte Geschichte der Technischen Universität Dresden.

[40] Vgl. dazu u. § 5,3.

[41] Vgl. Dill, Roman Society 255.259f.

schen und gesellschaftlichen Interessen verbunden war, zeigen etwa die in Pompeji erhaltenen Dipinti und Graffiti, mit denen Berufskollegien von Bäkkern, Goldschmieden, Schankwirten, Barbieren usw. Einfluß auf die bevorstehenden Magistratswahlen zu nehmen versuchten.[42]

Was die Vereinszwecke oder -funktionen betrifft, sind einige bereits genannt worden. Es gibt verschiedene Versuche, in die hier anzutreffende Vielfalt eine gewisse Ordnung zu bringen.[43] Sinnvoll scheint mir eine Unterscheidung von zwei Anliegen, einem religiösen und einem geselligen. Ein Verein konnte vorrangig die Verehrung einer oder mehrerer Gottheiten (z.b. Familiengenossenschaften, Mysterienvereine) oder die Pflege von Gemeinschaft und Austausch (z.b. Nachbarschafts-, Jugend-, Sklavenvereine) betreiben. Ein Sonderfall des *religiösen* Anliegens ist die Vorsorge für ein angemessenes Begräbnis: Wer sich als einzelner keine Bestattung leisten konnte und seine Beisetzung im Massengrab der Armen vermeiden wollte, hatte die Möglichkeit, durch regelmäßige Beitragszahlung an seinen Verein ein würdiges Begräbnis zu finanzieren. Der Verein übernahm auch die Pflege des Andenkens von Verstorbenen im Rahmen von Festmählern. Beides faßt das Statut eines Vereins in Ostia so zusammen: Die Mitglieder bildeten einen Verein, "damit sie nicht nach ihrem Tod vernachlässigt würden (ne neglegantur)". Ein Sonderfall des *geselligen* Anliegens ist die Vereinigung von Personen mit demselben Beruf, etwa Händlern, Handwerkern, Künstlern, erst spät auch von Militärangehörigen.[44] Auch hier stand, anders, als wir erwarten würden, offenbar weniger das wirtschaftliche als das soziale Interesse im Vordergrund.[45]

Es gibt nun einige Anhaltspunkte dafür, daß im römischen Bereich die verschiedenen Zwecke sich im konkreten Verein fast immer überlagerten. Händler und Spediteure z.b. schlossen sich in der Fremde oft auf landsmannschaftlicher Basis zusammen; dies brachte mit sich, daß sie bei ihren Zusam-

---

[42] Vgl. dazu Schulz-Falkenthal, Magistratswahlen bes. 27-29.

[43] Für den römischen Bereich: Bleicken, Verfassungs- und Sozialgeschichte 88f: Berufs-, Geselligkeits- und Bestattungsvereine; Fellmeth, Vereine 29f Anm.1: religiöse Geselligkeitsvereine und Berufsvereine; Kornemann, Art.: Collegium 385: "1) die rein religiösen und Sterbevereine, 2) die Verbände von Berufsgenossen der verschiedensten Art" (so auch Waszink, Art.: Genossenschaft 102); LaPiana, Groups 237: religiöse, Berufs- und Begräbnisvereine. Für den griechischen Bereich: Tod, Art.: Clubs 255: religiöse, Händler-, Berufsvereine; Ziebarth, Vereinswesen 4: Vereine zu gemeinsamem Nutzen, zu gemeinsamem Vergnügen, Familiengenossenschaften.

[44] Letzteren war erst ab Hadrian die Vereinsbildung allmählich gestattet (vgl. Kornemann, aaO. 400.)

[45] Vgl. Dill, Society 266f; Kornemann, aaO. 402; Stevenson, Art.: Clubs 256; Vittinghoff, Gesellschaft 211.

menkünften die aus der gemeinsamen Heimat vertrauten Gottheiten verehrten. Andere Berufe verehrten Götter oder Heroen, die ihnen in besonderer Weise nahestanden (wie z.B. Aesculap den Ärzten). Kultische Verehrung hatte andererseits häufig die Form gemeinsamer Opfermähler; auch religiöse Vereine besaßen damit ein starkes geselliges Element. Umstritten ist die Verbreitung der Begräbnisfürsorge. Ihrem Wesen nach ist sie bei den ärmsten Vereinen am ehesten zu erwarten,[46] d.h. eher bei religiös als bei beruflich motivierten Verbindungen.[47] Es gibt aber keine antike Bezeichnung speziell für Begräbnisvereine (der Begriff collegium funeraticium ist modern und wurde vermutlich von Mommsen eingeführt).[48] Der Grund dafür liegt wohl darin, daß die Begräbnisfürsorge eben nur einer von verschiedenen Vereinszwecken war, der bei ärmeren Vereinen mehr und bei etwas besser gestellten Vereinen weniger im Vordergrund stand. Wenn das genannte Senatus Consultum als erlaubte collegia tenuiorum nicht nur Begräbnisvereine, sondern verschiedene Arten von Vereinen kleiner Leute einstufte (vgl.o.), dann gab es auch von daher kein Motiv, sich als spezieller und ausschließlicher Begräbnisverein zu konstituieren.[49]

Im griechischen Bereich liegen die Dinge ähnlich. Auch hier ist eine Abgrenzung der Vereine nach ihren Zwecken schwierig, weil diese üblicherweise mehrschichtig sind und sich religiöse (auch als Begräbnisfürsorge) mit geselligen Aspekten (auch als Zusammenschluß von Berufskollegen) verbinden. Aufs Ganze gesehen lassen sich hier im Vergleich mit dem römischen Vereinswesen zwei Tendenzen erkennen: 1. Vereine von Berufsgenossen und solche mit dem Hauptzweck der Begräbnisfürsorge sind seltener und treten später auf, z.T. unter römischem Einfluß.[50] 2. Der religiöse Aspekt tritt in allen Typen stärker hervor.[51]

Zusammenfassend können wir als Ergebnis dieses knappen Überblicks festhalten: Von den allgemeinen Motiven des Zusammenschlusses im Verein, der Stellung des Vereins im und zum Staat und den Vereinszwecken her lassen sich bei aller Differenzierung doch deutliche Übereinstimmungen erkennen. Diese werden noch stärker hervortreten, wenn wir die Rolle der Patro-

---

46 Gegen Ausbüttel, Untersuchungen 34.
47 Daß Berufsvereine im allgemeinen sozial höher stehen, hat Fellmeth, Vereine 87-92, überzeugend gezeigt. Vgl. dazu auch u. § 5,3.
48 Vgl. Schiess, Collegia 1; Vittinghoff, Gesellschaft 210.
49 Gegen Dill, Society 255.
50 Vgl. Börner, Untersuchungen IV,1095-1097 (=239-241); Stöckle, Art.: Berufsvereine 155.202; Ziebarth, Vereinswesen 17.99-109; ferner Burford, Craftsmen 159; Mommsen, Collegiis 116; Poland, Geschichte 529.
51 Vgl. Tod, Art.: Clubs 255; Stöckle, aaO. 199.

ne,[52] die Ämterstruktur [53] und die Vereinsversammlungen [54] in den Blick nehmen. Was die hellenistischen Vereine von den römischen trennt, tritt gegenüber den Gemeinsamkeiten in den Hintergrund. Im römischen Kaiserreich werden diese durch zunehmenden Einfluß des römischen Vereinswesens im griechischen Osten noch verstärkt.[55] Die griechischen und lateinischen Vereinsinschriften aus dem römischen Reich des 1. bis Mitte des 3. Jahrhunderts n.Chr. lassen sich deshalb für unsere Zwecke miteinander und mit den Nachrichten aus paulinischen Gemeinden vergleichen; mit gewisser Vorsicht können wir auch Quellen aus hellenistischer Zeit heranziehen.

Eine abschließende Bemerkung zur Überlagerung des griechischen durch das römische Vereinswesen: Eine solche ist natürlich am ehesten dort zu erwarten, wo die Bevölkerung stark gemischt ist. Besonders relevant sind in dieser Hinsicht die römischen Kolonien im Osten, für unsere Interessen speziell Korinth. Diese seit 146 v.Chr. verödete Stadt wurde 44 v.Chr. auf Anordnung Caesars kolonisiert, d.h. mit römischen Freigelassenen, stadtrömischer plebs und mit Veteranen besiedelt.[56] Der römische Charakter der Bevölkerung war schon in der Architektur (Basiliken, Amphitheater) erkennbar. Das soziale, politische und religiöse Leben der Stadt wurde bis ins 3.Jh.n.Chr. von den Nachkommen der ersten Siedler und der früh zugezogenen römischen Bürger dominiert. Die Zusammensetzung und kulturelle Ausrichtung der Gesamtbevölkerung wandelte sich aber so deutlich, daß bereits im 2.Jh.n.Chr. Favorinus Korinth als gänzlich hellenisiert bezeichnete. Die Gründe für diese Verschiebung sind einerseits der Zuzug von Griechen aus der Umgebung, die von der expandierenden Wirtschaft Korinths angezogen und gebraucht wurden, andererseits einfach die Anpassung der Siedler aus Italien an ihre griechische Umwelt.[57] Von dieser Umschichtung und Überlagerung war das soziale Leben und damit auch das Vereinswesen sicher betroffen. Gerade für die korinthische Gemeinde, über wir am besten informiert sind, ist also Vergleichsmaterial sowohl aus griechischen wie römischen Vereinen sinnvoll zu verwenden.

---

52 Vgl. dazu u. § 5,1.
53 Vgl. dazu u. § 5,2.
54 Vgl. dazu u. § 5,3.
55 Vgl. dazu Ziebarth, Vereinswesen 125f; Bömer, Untersuchungen IV,1096 (=240); Poland, Geschichte 529; Stöckle, Art.: Berufsvereine 199.
56 Zur Geschichte Korinths als römische Kolonie vgl. Engels, Roman Corinth 16-21.
57 Zu diesem Prozeß vgl. Engels, aaO. 67-73.

§ 5) Vereinsstrukturen

Die Grundstruktur der meisten Vereine ist aus den genannten Mitgliederlisten erkennbar. Es lassen sich drei Gruppen unterscheiden: Patrone, Amtsträger und einfache Mitglieder (letztere heißen in römischen Vereinen die plebs collegii). In unserem Zusammenhang sind zunächst die beiden ersten Gruppen relevant: Wie verhalten sie sich im sozialen Status zueinander und zur dritten Gruppe? Anschließend ist dann auch die Frage nach Statusdifferenzierung unter den einfachen Mitgliedern zu stellen.

1. Vereinspatrone

Patron eines Vereins kann ein Mann oder/und eine Frau sein, manchmal auch eine ganze Familie.[58] Ein Verein hat oft mehrere Patrone, ein Patron fungiert als solcher oft für mehrere Vereine. Dies illustrieren schön zwei Inschriften aus Ostia: Die eine belegt einen Verein mit neun Patronen, davon vier Senatoren und fünf Rittern;[59] die andere ehrt einen decurio, der Patron von 13 Vereinen war.[60] In den Inschriften begegnen neben patronus/patrona auch pater/mater collegii. Die weibliche Form bezieht sich teilweise auf die Frau des Patrons, manchmal aber auch auf eine selbständige Patronin.[61] "Vater" und "Mutter des Vereins" sind Ehrentitel, die neben den Patronen auch an andere um den Verein verdiente Persönlichkeiten verliehen werden können.[62]

Der Patron tritt vor allem als Wohltäter des Vereins in Erscheinung: Er stiftet z.B. einen Platz für die Versammlungen, für den Kult, für die Bestattung der verstorbenen Mitglieder.[63] Er übergibt dem Verein oft ein Stiftungskapital, aus dessen Zinsen Festmähler bestritten und Geldgeschenke verteilt werden; die höchste belegte Stiftungssumme beläuft sich immerhin auf 50.000 Sesterzen.[64] Schließlich fördert und schützt der Patron den Verein durch seinen Einfluß in der Öffentlichkeit.[65]

---

[58] Vgl. ILS II/2,7217.7218.7221.

[59] Vgl. Liebenam, Geschichte 187 (hier auch weitere Beispiele).

[60] ILS II/2,6146; englische Übersetzung bei Sherk, Roman Empire 183f.

[61] Vgl. Kornemann, Art.: Collegium 424; Liebenam, Geschichte 218; Waltzing, Étude I,430. - So werden z.B. im Verein für Aesculap und Hygia die beiden voneinander unabhängigen Stifter des Vereinsvermögens pater und mater collegii genannt (Z.10).

[62] Vgl. Kornemann, aaO. 425; Waltzing, aaO. 447f.

[63] Vgl. den Verein für Aesculap und Hygia: Die Stifterin schenkt "dem Verein ein Häuschen mit Anbau, ein Aesculapbild aus Marmor und eine bedeckte Terrasse, damit die Mitglieder des genannten Vereins an diesem Ort speisen können." (Z.3f).

[64] So ebenfalls im Verein für Aesculap und Hygia. Ein zweiter Patron hat in diesem Verein noch 10.000 Sesterzen dazugelegt, aus deren Zinsen bei bestimmten Gelegenheiten zur Erinnerung an seinen Bruder Geschenke verteilt werden sollen (Z.17-19).

[65] Zu den Aufgaben eines Patrons vgl. Waltzing, Étude I,426f.431f.

Der Verein sucht sich seinen Patron meist selbst. Hat sich die Vereinsversammlung auf eine bestimmte Person geeinigt, wird diese durch eine Abordnung gebeten, die Wahl anzunehmen. Oft werden das Angebot und die Übernahme eines Patronats in Form einer Inschrift oder einer Statue veröffentlicht, deren Bezahlung bereits Sache des neuen Patrons ist.[66]

Jeder Verein steht insofern im Wettbewerb mit anderen, als alle verständlicherweise einen möglichst reichen und einflußreichen Patron gewinnen möchten. Dabei gibt offenbar der soziale Status des Vereins die Grenzen vor. Alte, große, angesehene Vereine haben als Patron oft einen Senator, Vereine mit geringerem Status können nur einen Patron aus dem Ritterstand aufweisen; mit abnehmendem Status des Vereins werden Dekurionen, frei geborene römische Bürger und schließlich auch Freigelassene zu Patronen gewählt.[67] Detailliert belegt wird diese Stufenfolge von U. Fellmeth: Im Vergleich zwischen religiösen Geselligkeitsvereinen und (sozial höherstehenden) Berufsvereinen kommt er zu dem Ergebnis, daß Berufsvereine *mehr* Patrone aufwiesen und daß nur ihre Patrone wenigstens teilweise aus dem Senatoren- und Ritterstand kamen, während die religiösen Vereine mit freigeborener plebs oder Freigelassenen als Patronen zufrieden sein mußten.[68]

Die Deutung dieses Befunds ist nicht schwierig: Der soziale "Marktwert" eines Patrons und eines Vereins müssen einander entsprechen.[69] Höher gestellte Patrone bieten mehr Schutz und finanzielle Unterstützung für ihren Verein, höher gestellte Vereine bieten mehr Ehre und Prestigegewinn für ihren Wohltäter.[70] Da sich die Vereine nur aus den niedrigeren Schichten (den humiliores) rekrutieren, Patrone dagegen aus sehr verschiedenen Schichten kommen (von den höchsten honestiores bis hinunter zu einfachen humiliores), unterscheidet sich der Status verschiedener Patrone viel mehr als der verschiedener Vereine.

---

[66] Vgl. dazu Liebenam, Geschichte 218f; Schiess, Collegia 70.

[67] Vgl. Dill, Roman Society 274f; Waltzing, Étude I,440-442.

[68] Zur Zahl der Patrone: Im Durchschnitt sind bei Berufsvereinen 6,5 % der gesamten Vereinsmitglieder Patrone, bei den religiösen Vereinen nur 0,5 % (so Fellmeth, Vereine 90); das bedeutet (bei Mitgliederzahlen meist zwischen 30 und 100), daß Berufsvereine oft mehrere, religiöse Vereine dagegen nur einen oder gar keinen Patron haben (ähnlich auch Schiess, Collegia 69, für das Verhältnis von collegia opificum und collegia funeraticia). Zur sozialen Stellung: Unter den Mitgliedern der Berufsvereine sind ca. 1,2 % Senatoren und 0,6 % Ritter (eben als Patrone), unter denen der religiösen Vereine gar keine Angehörigen dieser Stände (so ders., aaO. 89; vgl. auch ders., Bewußtsein 55f).

[69] Ähnlich Liebenam, Geschichte 212.

[70] Schulz-Falkenthal, Magistratswahlen 25, weist darauf hin, daß in den Munizipien der frühen Kaiserzeit die Patrone von ihren Vereinen auch Unterstützung bei den Magistratswahlen erwarteten.

Daraus ergibt sich eine unterschiedlich große, in vielen Vereinen aber beträchtliche soziale Kluft zwischen Patron(en) und Mitgliedern. Allerdings dürfte diese Kluft für das Vereinsleben kaum ein Problem gewesen sein, denn die Patrone waren in der Regel eine Art Ehrenvorsitzende, keine eigentlichen Mitglieder. Sie nahmen an den normalen Versammlungen nicht teil, übten auch keine Leitungsfunktionen aus und machten dem Verein keine Auflagen (abgesehen davon, daß sie einen Zweck für die Verwendung ihrer Stiftung festlegten).[71] Dies belegt z.B. der Brief eines Patrons an ein <u>collegium fabrum</u> in Narbonne, in dem er regelt, wie seine Spende zu verwenden ist: An seinen Geburtstagen sollen die Zinsen an die Mitglieder verteilt werden, die sich - offensichtlich in seiner Abwesenheit - zu einer Party versammeln.[72]

Eine Ausnahme von der Regel, daß Patrone keine eigentlichen Mitglieder sind, sind z.T. Vereine, die sich in Haushalten konstituieren.[73] Hier fungiert der männliche oder weibliche Haushaltsvorstand als Patron.[74] Allerdings wird man unterscheiden müssen, welcher Art der betreffende Verein ist: Bei einem Begräbnisverein, wie er in der bekannten Inschrift aus dem Haus der Sergia Paullina bezeugt ist,[75] liegt die Annahme nahe, daß die Herrin des Hauses ihn zwar gefördert und tatsächlich als seine Patronin fungiert hat, sich aber nicht selbst am Vereinsleben beteiligte. Anders bei Kultvereinen: Die oben vorgestellte Inschrift des Dionysios zeigt, daß dieser Mann, vermutlich in seinem eigenen Haus, einen Verein zur Verehrung verschiedener griechischer Götter gegründet hat; er war dann also Gastgeber und damit Patron, nahm aber auch selbst am Kult teil.[76] Ebenso im Fall eines Bacchusvereins im Haus der Pompeia Agripinilla (2.Jh.n.Chr.) nahe bei Rom: In die-

---

[71] So auch Biró, Collegium 5; Countryman, Patrons 136; Schiess, Collegia 69; Waltzing, Étude I,439; gegen MacMullen, Relations 124f.

[72] ILS II/2,7259.

[73] Es gab noch weitere Fälle, wo die Rollen von Patron und Amtsträger in einer Person zusammenkamen. So konnte ein Amtsinhaber bei außerordentlichen Verdiensten zum Patron gewählt werden (vgl. Liebenam, Geschichte 217). Bei den straff organisierten Vereinen der <u>fabri</u>, die auch die Aufgabe einer Feuerwehr hatten, konnte der <u>praefectus fabrum</u> zugleich ihr Patron sein; vgl. dazu Ausbüttel, Untersuchungen 72. Im oben vorgestellten Verein der Iobacchen wird der berühmte Herodes Atticus zum neuen Priester (und damit Präsidenten) bestellt; es sieht allerdings sehr danach aus, daß seine Funktion mehr die eines Patrons war, der dem Verein nur seinen Namen und seinen Einfluß zur Verfügung stellte, denn seine erste Amtshandlung war die Ernennung des bisherigen Präsidenten zum Vizepräsidenten, der offenbar weiterhin die Geschäfte führte (Z.9f).

[74] Darauf weisen Meeks, Christentum 69, und Chow, Patronage 68, hin.

[75] CIL VI/2,9148.

[76] Vgl. Barton - Horsley, Cult Group 22.

sem Verein mit fast 400 Mitgliedern von sehr unterschiedlichem Status nahm die Gastgeberin die Aufgaben einer Priesterin wahr.[77] Hier fällt auch die übliche Trennung zwischen Patron und Amtsträgern weg, die sich sonst einfach aus dem Unterschied in der sozialen Stellung ergibt.

2. *Vereinsämter*

Die Amtsstruktur der Vereine ist zwar ausgesprochen vielfältig, läßt aber eine gemeinsame Tendenz erkennen: die Bemühung, Ämter des öffentlichen Lebens zu kopieren.[78] Darauf weisen vor allem die Titel hin, die meistens von Ämtern der imperialen oder städtischen Verwaltung genommen sind. Oft begegnet ein regelrechter cursus honorum; manche Vereinsmitglieder werden auf Inschriften gerühmt als solche, die alle Ämter innegehabt haben.[79]

Der Vorsitzende [80] wird in der Regel unter den Mitgliedern gewählt, nur in Ausnahmefällen von außen geholt. Prinzipiell ist dieses wie die übrigen Ämter auch für Frauen [81] und Sklaven zugänglich.[82] Der Vorsitzende heißt oft magister oder (magister) quinquennalis, in Kultvereinen auch ἱερεύς, sacerdos. Die Amtszeit beträgt meist ein oder fünf Jahre; Wiederwahl ist möglich und häufig, und manche Vereinen vergeben das Amt sogar auf Lebenszeit (was zu dem in sich widersprüchlichen Titel quinquennalis perpetuus führen kann). Der Inhaber dieses Amtes ist im wesentlichen für die Durchführung des Kults, der Vollversammlungen und der Festmähler und für die Umsetzung der Vereinsbeschlüsse verantwortlich.[83] Unterhalb des Präsidenten bzw. Priesters gibt es eine je nach Größe und Art des Vereins verschieden ausgeprägte Stufenfolge von Ämtern; bei den Iobacchen z.B. sind das: ἀνθιερεύς (stellvertretender Priester, der wie der Priester Gottesdienste und Predigten hält), ἀρχίβακχος (Oberbacchos, der die Opfer darbringt und zusammen mit dem Priester das Rederecht verteilt und Beschwerden entgegennimmt), πρόεδρος (Vorsitzender der Vereinsversammlung), ταμίας (Schatz-

---

77 Text und Besprechung dieser Inschrift bei Vogliano, Iscrizione.
78 Vgl. Alföldy, Sozialgeschichte 119; Dill, Society 269; Foucart, Assiociations 51; Kornemann, Art.: Collegium 421; Waltzing, Étude I,383; Ziebarth, Vereinswesen 147.
79 Vgl. Fellmeth, Vereine 139; Kornemann, aaO. 420; Schiess, Collegia 42; Waltzing, aaO. 383; Ziebarth, aaO. 146.
80 In römischen Vereinen wird dieses Amt oft kollegial, also nicht nur von einer Person, wahrgenommen; vgl. Waltzing, aaO. 388.
81 Vgl. Schiess, Collegia 74f mit Anm.238 und 239: Frauen sind als magistrae, sacerdotes, curatores, decuriones etc. bezeugt, allerdings nur für Begräbnisvereine.
82 Vgl. Fellmeth, Vereine 123; ders., Bewußtsein 60; Liebenam, Geschichte 204; Waltzing, Étude I,386; zu Einschränkungen vgl. aber u.
83 Zum Amt des Vereinsvorsitzenden vgl. bes. Fellmeth, Vereine 148; Liebenam, aaO. 205; Waltzing, aaO. 389-393.

meister), βουκολικός (?), ferner der εὔκοσμος (Verantwortlicher für Ruhe und Ordnung) und die ἵπποι ("Pferde", Rausschmeißer).[84] In römischen Vereinen begegnen häufig die Titel curator, quaestor, decurio bzw. decumanus,[85] scriba.[86]

Die Aufgaben des Vorsitzenden beschränken sich nicht auf die Verwaltung. Es wird von ihm auch erwartet, als Wohltäter des Vereins aktiv zu werden, wenn auch nicht in demselben Maße wie der Patron.[87] In besser gestellten Vereinen stiftet er einen Altar oder eine Statue des Vereinsgottes. In der Inschrift des Vereins für Aesculap und Hygia heißt es unbestimmt: "... ein Mahl, das der Quinquennalis Ofilius Hermes alle Jahre den Anwesenden zu geben versprochen hat, oder Geschenke, wie er sie gewöhnlich gibt."[88] Nach der Satzung des einfachen Vereins von Lanuvium muß der quinquennalis den Kult mit Wein und Weihrauch vollziehen, die er vermutlich selbst bereitzustellen hat, und die Vereinsmitglieder mit Öl für den gemeinsamen Badbesuch vor den Festmählern ausstatten.[89]

Die Wahl zum Vorsitzenden bedeutete deshalb eine finanzielle Last. Nicht jedes Mitglied war fähig oder willens, diese Verpflichtungen zu erfüllen.[90] Je größer die Unterschiede im Wohlstand der Vereinsmitglieder waren, desto mehr mußten die Ämter von einer wohlhabenden Gruppe im Verein monopolisiert werden, von Reichen, die dann z.T. auch gleichzeitig Ämter in anderen Vereinen innehatten.[91] Es ist auffällig, daß sich gerade in höherstehenden Vereinen die Rolle des Vorsitzenden an die eines Patrons annähert.

---

[84] Z.20f.122f.136.144. Zu den einzelnen Ämtern in griechischen Vereinen vgl. Stöckle, Art.: Berufsvereine 187-192; Ziebarth, Vereinswesen 153-156.

[85] Die Versammlung der Dekurionen oder Dekumanen (zumindest ursprünglich Vorstände einer Untergruppe der plebs collegii) bildete vor allem in großen Vereinen (z.B. in einem römischen collegium fabrum tignuariorum mit ca. 1.500 Mitgliedern und 60 Dekurionen, vgl. Waltzing, Étude I,379) eine Art Exekutive, die die Vollversammlung von weniger wichtigen administrativen Angelegenheiten entlastete; vgl. dazu Fellmeth, Vereine 115-117; ders., Bewußtsein 57-59; Robertis, Contributi 75; Schiess, Collegia 63-66.80; Waltzing, aaO. 358-362.379-382.

[86] Zu diesen und weiteren Ämtern vgl. bes. Schiess, aaO. 42-68; Waltzing, aaO. 406-425.

[87] Vgl. dazu Ausbüttel, Untersuchungen 43f.52.55; Waltzing, aaO. 396f; Ziebarth, Vereinswesen 157.

[88] Z.14.

[89] II,29f.

[90] Vgl. Ausbüttel, Untersuchungen 47: "Namentlich der Vorstand und die einfachen Mitglieder werden sich nach ihrer Vermögenslage unterschieden haben."; vgl. ders., aaO. 43. Vgl. auch Burford, Craftsmen 163: Die Monopolisierung der Ämter durch eine kleine Gruppe zeigt sich z.B. darin, daß manchmal Vater und Sohn in denselben Ämtern begegnen. In die gleiche Richtung gehen die Ausführungen von Fellmeth, Vereine 142, und Waltzing, Étude I,385.396.

[91] Vgl. Waltzing, aaO. 398f.

Die Amtszeiten sind hier länger, wenn nicht sogar lebenslänglich.[92] Vergleichen wir die oben vorgestellten Vereinssatzungen und -dekrete in dieser Hinsicht:[93] In dem armen Verein von Lanuvium war der quinquennalis offenbar ein (wohl alle fünf Jahre) wechselndes Amt; interessant ist aber, daß wir hier einen magister cenarum finden, ein Amt, das unter allen Mitgliedern rotiert (nur der Vorsitzende war von dieser Rotation für seine Amtszeit ausgenommen): "Wer in dem Jahr, in dem er aufgrund der Abfolge der Mitgliederliste das Amt hat, für das Vereinsmahl zu sorgen, dieser Pflicht nicht nachkommt und es nicht tut, der muß 30 Sesterzen in die Kasse zahlen; der (auf der Liste) folgende muß das Essen geben".[94] Auf diese Weise wurden hier jedes Jahr vier magistri cenarum bestimmt, die sechs Vereinsmähler ausrichten und dafür jeweils eine Amphore guten Wein und für jedes Mitglied zwei Brote, vier Sardinen, Besteck, warmes Wasser und Bedienung bereitstellen mußten.[95] Jeder war irgendwann an der Reihe, einschließlich der Sklaven.[96]

Im Begräbnisverein von Alburnum maius (ILS II/2,7215) gab es zwei offenbar wechselnde [97] Magister, die wohl den Kult, die Vollversammlungen und die Festmähler veranstalteten, und zwei Quaestoren, die vermutlich wie überall das Vereinsvermögen verwalteten.[98] Im wesentlich besser gestellten Verein für Aesculap und Hygia begegnet ein quinquennalis auf Lebenszeit, der jedes Jahr ein Essen gibt und Geschenke verteilt.[99] Bei den ebenfalls nicht schlecht gestellten Iobacchen wird der bisherige Priester nach 17 (!) Jahren als stellvertretender und 23 (!) Jahren als Priester durch den berühm-

---

[92] Vgl. Schiess, Collegia 45 Anm.75: Für Handwerkervereine ist der quinquennalis perpetuus häufiger bezeugt als für Begräbnisvereine.

[93] Die Inschrift des Dionysios enthält keine Aussagen zu Ämtern und bleibt hier außer Betracht. Barton - Horsley, Cult Group 22, erklären dieses Fehlen formeller Ämter damit, daß der Verein erst seit kurzem bestand und noch klein war.

[94] II,8-10.

[95] II,15f. Vermutlich bestanden die Mähler nicht nur aus Wein, Brot und Sardinen; der Speiseplan wurde wohl entweder durch den Patron (so Waltzing, Étude I,421) oder durch die einzelnen Mahlteilnehmer (so Mommsen, Collegiis 109) aufgebessert.

[96] Eine ähnliche Rotation findet sich in einem römischen Verein von Elfenbeinhändlern aus der Zeit Hadrians (ILS II/2,7214): In jedem Jahr sind 4 curatores nach der Reihenfolge der Mitgliederliste zu bestellen, die für Wein, Brot und warmes Wasser sorgen müssen. Der Text dieser Stelle ist allerdings unsicher. Nach Gradenwitz, Statut 81, wurde in diesem Verein statt der Rotation das "Princip der Anciennetät" angewendet.

[97] Der Inschrift zufolge hat der zweite Magister dieses an Mitgliederschwund leidenden Vereins sein Amt gar nicht erst angetreten. Die Dauer der Amtszeit ist allerdings nicht ersichtlich.

[98] Vgl. Biró, Collegium 4f.

[99] Z.10.14.

ten Herodes Atticus abgelöst;[100] dieser war aber, wie gesagt, offenbar mehr ein Aushängeschild.[101]

Natürlich war es nicht nur eine Last, sondern auch eine Ehre, zum Vorsitzenden oder in ein anderes Amt gewählt zu werden. Wie das Patronat einen Prestigegewinn im Rahmen der städtischen Gesellschaft bedeutete, so brachte ein Amt eine entsprechende Steigerung der Geltung im Rahmen des Vereins mit sich. Dieser Zuwachs an Prestige wird an solchen Details sichtbar wie der Regelung, daß ein Amtsträger bei den Verteilungen von Wein, Speisen oder Geld größere Anteile erhält. In Lanuvium bekommt der amtierende quinquennalis von allen Zuwendungen das doppelte, nach Ende seiner Amtszeit das anderthalbfache.[102] Er wird auch in besonderer Weise gegen Beleidigungen geschützt: "Wenn jemand einen anderen beleidigt oder Unruhe stiftet, soll er eine Strafe von 12 Sesterzen erhalten. Wenn jemand während des Mahls den Quinquennalis beleidigt oder beschimpft, soll er eine Strafe von 20 Sesterzen erhalten."[103] Solche Regelungen haben unter anderem den Zweck, Mitglieder zu motivieren, trotz der damit verbundenen Last Ämter zu übernehmen.[104] Sie sind eine Art Entschädigung, insofern sie eine soziale Hierarchie schaffen oder verstärken und den Amtsträgern zu gesteigertem Status verhelfen. Dies ist besonders daran erkennbar, daß die Geschenkzuteilungen sich nicht nach der Bedürftigkeit, sondern nach dem Rang eines Mitglieds richten;[105] außerdem erhalten ja Patrone und Amtsträger höhere Zuteilungen von den Geschenken, die sie zuvor *selbst gestiftet* haben!

3. Vereinsmitglieder

Die Vielfalt der Vereine drückt sich sehr deutlich in den unterschiedlichen Mitgliederzahlen aus. Eines der größten Kollegien mit 1.500 Mitgliedern hat bereits im letzten Punkt eine Rolle gespielt.[106] Solche Zahlen sind die Aus-

---

[100] Z.5-10.

[101] Für die griechischen Berufsvereine weist Stöckle, Art.: Berufsvereine 193, darauf hin, daß hier die Amtszeit sehr oft länger als ein Jahr war; er nennt drei Fälle lebenslanger Amtszeit.

[102] II,18-22. Weitere Beispiele bei Liebenam, Geschichte 201. Der Vorsitzende des Vereins von Lanuvium (und auch vieler anderer Vereine, vgl. Schiess, Collegia 68; Ziebarth, Vereinswesen 148) war zudem von der monatlichen Beitragszahlung befreit. In einem Begräbnisverein in Ostia bekam der Vorsitzende am Tag seiner Wahl 240 Sesterzen, einerseits als Unterstützung für die Erfüllung seiner Aufgaben, andererseits aber auch als besondere Ehre (vgl. Robertis, Contributi 59f).

[103] II,26-28.

[104] So auch Ausbüttel, Untersuchungen 57.

[105] Vgl. Waltzing, Étude I,402f.

[106] Burford, Craftsmen 162, nennt ein weiteres Großkollegium von Schreinern und Bauhandwerkern mit 1.000-1.200 Mitgliedern.

nahme. Nur selten haben Vereine mehr als 100 Mitglieder, nur selten weniger als 10. Meistens bewegen sich die Zahlen zwischen 20 und 50.[107] Der Verein für Aesculap und Hygia [108] und der genannte Begräbnisverein von Ostia waren mit 60 bzw. 80 leicht größer; der Verein von Alburnum maius löste sich auf, als von den ursprünglich 54 nur noch 17 Mitglieder übrig waren.

Der Beitritt zu einem Verein war für die meisten Mitglieder mit einem sozialen Aufstieg verbunden. In der Hierarchie der Städte des römischen Kaiserreichs gehörten die collegiati zwar weiterhin zur plebs, standen aber eine Stufe höher als die übrige plebs urbana, also direkt unterhalb der Augustales (aufgestiegene Freigelassene, die für den Kaiserkult verantwortlich waren).[109] Dessen ungeachtet ist das soziale Niveau der verschiedenen Vereine und Vereinsarten recht verschieden. Besonders die Untersuchungen von Fellmeth, auf die bereits hingewiesen wurde, haben gezeigt, daß Vereine, die sich aus einer bestimmten Berufsgruppe rekrutierten, insgesamt sozial höher standen als religiöse Vereine, die vor allem Begräbnisfürsorge betrieben. In allen Vereinstypen (zumindest des römischen Bereichs) sind Freigelassene und Sklaven zusammengenommen in der Mehrzahl; das Verhältnis zwischen frei geborenen und unfrei geborenen Mitgliedern ist aber bei Berufsvereinen 35:65, bei religiösen Vereinen 17:83. Während in Berufsvereinen praktisch keine Sklaven begegnen, machen solche in religiösen Vereinen fast 19 % aller Mitglieder aus.[110] Auch wenn die Auswertung der Namenslisten, die diesen Statistiken zugrundeliegen, nicht überall zweifelsfrei möglich ist,[111] dürfte dieses Ergebnis doch realistisch sein.[112]

Eine andere Auffassung hat F.M. Ausbüttel vorgetragen.[113] Ihm zufolge hatten die collegia tenuiorum keineswegs alle den Hauptzweck der Begräbnisfürsorge; sie rekrutierten sich auch nicht aus den Armen oder gar Ärmsten, sondern aus relativ wohlhabenden Leuten. Der erste Teil dieser These ist,

---

[107] Vgl. Fox, Pagans 88; Kornemann, Art.: Collegium 417; MacMullen, Relations 82; Poland, Geschichte 287; Tod, Streiflichter 55; Stöckle, Art.: Berufsvereine 184.

[108] Z.5.

[109] Vgl. dazu Ausbüttel, Untersuchungen 48; Bleicken, Verfassungs- und Sozialgeschichte 91; Kornemann, Art.: Collegium 414; Schulz-Falkenthal, Magistratswahlen 26.

[110] So Fellmeth, Vereine 88f; vgl. ders., Bewußtsein 54.

[111] Zu den Problemen der Auswertung von Namen vgl. Foucart, Associations 7; Fellmeth, Vereine 67-75.

[112] Zur sozialen Stellung von religiösen Vereinen vgl. Kornemann, Art.: Collegium 387; Waszink, Art.: Genossenschaft 104. Speziell zu Begräbnisvereinen: Bömer, Untersuchungen I,464-466 (=90-92); Hopkins, Death 213; LaPiana, Groups 273f.

[113] Untersuchungen 42-47.

wie wir oben gesehen haben,[114] nicht neu: Das Begräbnis kann in den Vereinen, von denen Marcian spricht, mehr (so im Verein von Lanuvium) oder
weniger (so im Verein für Aesculap und Hygia) im Vordergrund stehen. Neu
(oder doch fast neu)[115] ist dagegen der zweite Teil. Ausbüttel stützt seine
Meinung vor allem auf vier Argumente: 1. Die Bestattungskosten waren für
arme Bevölkerungsschichten zu hoch. 2. Viele Vereine besaßen eigene Gebäude. 3. Die Amtsträger schenkten dem Verein z.T. große Summen. 4. Die
Eintrittsgelder, Monatsbeiträge und Strafgebühren der Vereine waren für
Arme nicht bezahlbar.[116]

Die beiden ersten Argumente sind nicht überzeugend. Gerade *weil* die
Bestattungskosten so hoch waren, daß Arme sie allein nicht tragen konnten,
schlossen sie sich ja in Vereinen zusammen. Die Vereinsgebäude wurden
meist von Patronen gestiftet. Die beiden übrigen Argumente leiden darunter,
daß Ausbüttel keinen Unterschied zwischen verschiedenen Vereinstypen
macht. Obwohl sich tatsächlich in der Regel verschiedene Vereinszwecke
überlagerten, gab es doch vorrangige Anliegen, die mit der sozialen Stellung
der Mitglieder zu tun hatten. Für Vereine, deren Mitglieder sich primär nach
beruflichen Gesichtspunkten verbanden, war die Begräbnisvorsorge nur ein
sekundärer Aspekt. Die von Ausbüttel angeführten Geschenke von Amtsträgern sind zum großen Teil aus Inschriften solcher Berufsvereine genommen.
Die Beispiele für Beitrittsgelder stammen weitgehend von Militärkollegien.
Daneben verweist Ausbüttel allerdings auf die für den Begräbnisverein von
Lanuvium bezeugte Eintrittssumme von 100 Sesterzen und einer Amphore
guten Wein (im Wert von vielleicht 50-70 Sesterzen).[117] Zum einen ist diese
Summe aber die höchste, die für einen Begräbnisverein bezeugt ist,[118] zum
anderen dürfte sie nur gut zwei Monatslöhnen eines Tagelöhners entsprechen;[119] sie war damit zwar hoch, angesichts der Bedeutung eines würdigen
Begräbnisses aber auch von Armen aufzubringen. Die Strafgebühren von La-

---

[114] Vgl. o. § 4,2.

[115] Bereits Liebenam, Geschichte (1890) 264, war der Ansicht, die Kosten der Begräbnisvereine seien für die ärmste Bevölkerung unerschwinglich gewesen.

[116] Ein fünftes Argument, das auf die hohe rechtliche und soziale Stellung von Amtsträgern
(Ritter, Dekurionen) und Mitgliedern (Ausbüttel, Untersuchungen 47: "eher Arbeitgeber
als einfache Arbeiter") abhebt, übergehe ich hier, weil die angeführten Beispiele nur für
Berufsvereine zutreffen.

[117] Ausbüttel, aaO. 46, nennt als Vergleichszahlen die Weinpreise in Pompeii und Herculaneum im 1.Jh.n.Chr. (12-54 Sesterzen) und in Rom im 2.Jh.n.Chr. (bis zu 88 Sesterzen).

[118] Vgl. Fellmeth, Vereine 96.

[119] Ein Tagelöhner verdiente pro Tag bis zu einem Denar, also 4 Sesterzen. Der monatliche
Beitrag in Lanuvium betrug 5 Asse = 5/16 eines Denars, also knapp die Hälfte eines Tageslohns, und war damit erschwinglich.

nuvium liegen nicht zwischen 12 und 1280 Sesterzen, wie Ausbüttel angibt, sondern zwischen 4 und 30. Die eindrucksvolle Strafsumme von 20.000 Sesterzen im Verein für Aesculap und Hygia bezieht sich nur auf den Fall, in dem die Amtsträger des Vereins das Stiftungsvermögen von insgesamt 60.000 Sesterzen für einen anderen Zweck als den von den Stiftern vorgesehenen verwenden wollen,[120] hat also für das normale Vereinsleben keine Bedeutung.

Es ergibt sich: Die Vereine hatten eine unterschiedlich hohe soziale Stellung. Ihre Mitglieder sind weder, wie es in älteren Veröffentlichungen manchmal der Fall war, generell als mittellos einzustufen, noch, wie Ausbüttel vorschlägt, alle in relativ wohlhabenden, vom politischen Leben aber ausgeschlossenen Schichten anzusetzen. Vielmehr ist zu beachten, daß die verschiedenen Vereinszwecke für verschiedene Schichten interessant waren. Die oben angeführte Statistik von Fellmeth läßt sich mit diesem Grundsatz gut erklären.

Wir haben bereits gesehen, daß innerhalb der Vereine eine klare Hierarchie bestand. Schon die Mitgliederlisten mit ihrer Strukturierung Patrone - Amtsträger - einfache Mitglieder sprechen eine deutliche Sprache. Besonders wichtig in dieser Hinsicht ist die Ausgestaltung des Ämterwesens, die im vorigen Punkt beschrieben wurde. Die differenzierte Stufenfolge der Ämter, die städtische Ämter kopieren, das Sozialprestige, das ihnen durch Beitragsfreiheit, höhere Anteile an Zuwendungen und durch Schutzbestimmungen gewährt wurde, und (in manchen Vereinen) ihre Monopolisierung und Angleichung an das Patronat zeigen, wie stark das hierarchische Denken im Verein war. Im vorigen Punkt ist freilich auch schon eine Erscheinung des Vereinslebens zur Sprache gekommen, die den Abstand zwischen Amtsinhabern und einfachen Mitgliedern verringerte, d.h. die Hierarchie beschränkte: die Ämterrotation. Wenn ein für den Verein notwendiges Amt einfach nach der Reihenfolge der Namen auf der Mitgliederliste vergeben wurde, kann man wohl ein egalitäres Prinzip am Werk sehen, auch oder gerade dann, wenn es sich nur um die gleichmäßige Verteilung einer unangenehmen Pflicht handelt. Diese Rotation läßt sich zwar nur in zwei oder drei Vereinen belegen; von den allermeisten ist aber einfach zu wenig überliefert, als daß man eine solche Nachricht erwarten könnte. Zumindest auf einen weiteren, ähnlichen Fall ist noch hinzuweisen: Im oben vorgestellten Verein der Iobacchen findet sich eine etwas rätselhafte Bestimmung, derzufolge nach dem Opfer für Dionysos bestimmte μέρη (Essensportionen? Geschenkanteile?) an mehrere

---

[120] Z.19-22.

Amtsträger (Priester, stellvertretender Priester, Archibacchos, Schatzmeister, *βουκολικός*) *und fünf Götter* verteilt werden, deren Namen durch Los unter den Mitgliedern verteilt werden.[121] Offenbar kamen hier in der Rolle von Göttern einige einfache Teilnehmer in den Genuß der Vorzüge, die sonst Amtsträgern reserviert waren.[122]

Ein egalitäres Element, das im Unterschied zur Rotation allen Vereinen gemeinsam ist, liegt in der entscheidenden Bedeutung der Mitgliedervollversammlung für das Vereinsleben.[123] Sie findet oft an bestimmten Monatstagen statt, entweder im vereinseigenen Haus oder im Tempel des Vereinsgottes. Die Leitung liegt beim Vorsitzenden. Daneben gibt es manchmal eine Art Ausschuß (z.b. der Dekurionen),[124] der Anträge zur Beschlußfassung vorbereitet. Die eigentliche Vollmacht in allen Vereinsangelegenheiten liegt aber bei der Versammlung: Sie gibt dem Verein ein Statut, sie regelt laufende Angelegenheiten durch Dekrete, sie wählt die Amtsträger. Nicht nur der Vorsitzende oder der Ausschuß, sondern jedes Mitglied hat neben dem Rede- und Stimmrecht auch das Recht, Anträge zu stellen.

Aufschlußreich ist das Verhältnis zwischen den Amtsträgern und der Versammlung. Wie sich im letzten Punkt gezeigt hat, bedeutet die Wahl in ein Amt eine Ehrung durch die Mitglieder, zugleich aber eine Verpflichtung zur Wohltätigkeit gegenüber dem Verein. Die Versammlung gewährt Prestige als Vorleistung für erwartbare, aber nicht festgeschriebene Spenden. Was den eigentlichen Amtsbereich betrifft, ist hier die Bindung des Amtsträgers an den Verein enger. Das zeigt sich zunächst in den Strafbestimmungen, die die Amtsträger nicht nur schützen, sondern auch binden können.[125] Bei den Iobacchen gab es eine Strafe von 25 Denaren, die den traf, der bei der Versammlung eine Schlägerei anfing. Die gleiche Strafe traf den Geschädigten, wenn er nicht beim Priester oder Archibacchos, sondern bei öffentlichen Gerichten Klage erhob, aber ebenso den *εὔκοσμος*, einen für die Ordnung zuständigen Amtsträger, wenn er bei der Schlägerei nicht einschritt.[126] Im Sta-

---

[121] Z.121-127.
[122] Der Kommentar zur Inschrift in SIG³/⁴ III,1109 (S.273) verweist auf die alte und verbreitete Vorstellung, daß Götter von Menschen gastlich aufgenommen und bewirtet werden. Dieser Mythos sei hier in einem Rollenspiel repräsentiert worden. Ähnlich denkt Fox, Pagans 86, an ein heiliges Drama.
[123] Vgl. dazu Fellmeth, Vereine 102-105.115-117; ders., Bewußtsein 56-59; Kornemann, Art.: Collegium 426f; Schiess, Collegia 75-80; Waltzing, Étude I,370-382; Ziebarth, Vereinswesen 144-146.
[124] Vgl o. Anm.85.
[125] Vgl. Liebenam, Geschichte 223f; Fellmeth, Vereine 166; ders., Bewußtsein 63.
[126] Z.84-94.

tut des Vereins für Aesculap und Hygia findet sich die bereits genannte Strafe von 20.000 Sesterzen für Quinquennalen und Kuratoren, die das Vereinsvermögen anders als dem Statut entsprechend verwenden.[127]

Hierher gehören auch die Bestimmungen über die Rechenschaftspflicht.[128] Schon die Regelung im Verein von Lanuvium, wonach ein gewesener quinquennalis dann abgabenfrei bleibt, wenn er sein Amt korrekt geführt hat ("quisquis quinquennalitatem gesserit integre"), enthält wohl eine solche Verpflichtung.[129] Besonders ist hier aber die Inschrift von Alburnum maius anzuführen, die ausdrücklich vermerkt, der zurückgetretene Vorsitzende habe Rechenschaft abgelegt und daraufhin die von ihm hinterlegte Kaution zurückerhalten. Eine solche Kaution diente offenbar dazu, eventuelle Regreßforderungen zu befriedigen,[130] andererseits aber sicher auch, dem Vorsitzenden einen Anreiz zu gewissenhafter Amtsführung zu geben. Diese enge Bindung der Amtsträger an den Mitgliederwillen unterscheidet die Vereine von der Verwaltung des Imperiums und der Städte. Dort hatten Amtsträger weit größere Handlungsfreiheit bzw. waren dem Ratswillen, damit aber nur einer Oligarchie innerhalb der Stadt, verantwortlich.[131]

Die große Bedeutung der Vollversammlung und die Gleichberechtigung aller Mitglieder in ihr sind - im sozialen Kontext gesehen - erstaunlich, und besonders erstaunlich in Vereinen, die sich aus Personen mit unterschiedlichem Status zusammensetzten. Bevor wir uns diesem Phänomen zuwenden, ist allerdings an das zu erinnern, was oben zum Status gesagt wurde:[132] Der Status eines Individuums oder einer Gruppe hängt von einer Vielzahl von Variablen ab, die ein Gesamtbild ergeben. Statusdifferenz in Vereinen kann sich deshalb vielfältig darstellen. Ich wähle vier besonders relevante Kriterien für die soziale Stellung aus: Herkunft (im Sinne der Nationalität: einheimisch - fremdstämmig), Rechtsstellung (freigeboren - freigelassen - versklavt), Geschlecht (männlich - weiblich) und Besitz (reich - arm). Es gab ohne Frage viele Vereine, die in ein oder zwei dieser Hinsichten homogen waren. Homogenität in allen vier Punkten scheint aber eine seltene Ausnahme gewesen zu sein.

---

[127] Z.19-22.
[128] Vgl. Fellmeth, Vereine 180; ders., Bewußtsein 65.
[129] Vgl. auch CIL VI,10298 (Text mit Kommentar bei Waltzing, Étude III,281-284): Der scheidende magister muß schwören, sein Amt entsprechend dem Vereinsstatut ausgeübt zu haben.
[130] So Biró, Collegium 8.
[131] Dies hebt Fellmeth, Vereine 180-189, hervor.
[132] Vgl.o. § 3,1.

Die *Herkunft* spielt besonders in Kultvereinen und Vereinen solcher Berufe eine Rolle, die viel mit dem Ausland zu tun hatten. Kultvereine verehrten ursprünglich oft ausländische Gottheiten, die am Ort des Vereins nicht oder noch nicht anerkannt und verbreitet waren. Solche Kultvereine konnten von Einheimischen oder von Ausländern ins Leben gerufen und gepflegt werden; die Zulassung der jeweils anderen Gruppe legte sich nahe.[133] Umgekehrt war die Pflege einheimischer Kulte oft, aber nicht immer für Ausländer offen.[134] Für Berufe wie Händler und Kaufleute gilt: Gerade in den östlichen Handelszentren des römischen Reichs wie Delos und Rhodos gab es Vereine, die von fremdstämmigen Händlern nach landsmannschaftlichen oder von einheimischen Händlern nach beruflichen Gesichtspunkten gegründet wurden; eine gewisse Vermischung war auch hier naheliegend, erfolgte aber nicht immer.[135] In jedem der genannten Fälle gab es Motive für eine Abgrenzung (z.B. Reinerhaltung des Kults oder des gemeinsamen Erbes) und für eine Annäherung (z.B. Ausbreitung des Kults oder der Handelskontakte). Aufs Ganze gesehen ist für religiöse Vereine die Mitgliedschaft von Fremden häufiger bezeugt als für Berufsvereine.

In den oben besprochenen Vereinsstatuten lassen sich allerdings keine direkten Hinweise auf die Beteiligung oder Nichtbeteiligung von Fremden finden. Die Inschrift des Dionysios ist so kosmopolitisch gehalten, daß man eine Offenheit gegen Fremde zumindest vermuten kann.[136] Der Begräbnisverein von Alburnum maius löste sich vielleicht deshalb auf, weil viele Mitglieder fortzogen; möglicherweise handelte es sich um Personen, die sich nur vorübergehend hier niedergelassen hatten.[137] Mehr ist den Texten in dieser Hinsicht nicht zu entnehmen.

Oben wurde schon darauf hingewiesen, daß zumindest in römischen Vereinen die Mehrzahl der Vereinsmitglieder ihrer *Rechtsstellung* nach Freige-

---

[133] Vgl. LaPiana, Groups 225f; MacMullen, Relations 85.

[134] Zur Beteiligung Fremder an griechischen Kulten vgl. Wächter, Reinheitsvorschriften 118-123: Fremde wurden in der Regel, aber nicht immer zugelassen; z.B. war ihnen die Einweihung in die eleusinischen Mysterien versagt. Der Grund für einen Ausschluß war meist, daß sie "unter dem Einfluß fremder, für Andere schädlicher Dämonen (stehen), ihre Teilhabe am Gottesdienst (..) also eine Verunreinigung (bedeutet)" (aaO. 123).

[135] Vgl. LaPiana, Groups 251f; Stöckle, Art.: Berufsvereine 184f; Tod, Streiflichter 56.

[136] So auch Barton - Horsley, Cult Group 17; Weinreich, Stiftung 7.

[137] So Biró, Collegium 3. - Aus der Iobbacheninschrift wird manchmal auf ein weltweites Zusammengehörigkeitsgefühl der Iobacchenvereine geschlossen (so der Kommentar in SIG³/⁴ und Fox, Pagans 87). Diese Ansicht stützt sich auf den in der Inschrift enthaltenen Ausruf: "Jetzt sind wir die ersten aller Bacchusgesellschaften!" (Z.26f). Mir scheint aber näherliegend, daß es hier nur um die Konkurrenz verschiedener Vereine in der Stadt oder Region geht.

lassene oder Sklaven waren. Der Akzent liegt dabei klar auf den Freigelasse-nen. Auch hier sind die statistischen Untersuchungen von Fellmeth hilfreich. Die römischen Berufskollegien setzten sich, Fellmeth zufolge, im Schnitt fol-gendermaßen zusammen: 1,18% Senatoren, 0,6% Ritter, 0,47% Deku-rionen, 32,75% freigeborene Plebs, 64,95% Freigelassene, 0,05% Skla-ven.[138] In religiösen Vereinen sah die Verteilung so aus: 0% Senatoren, 0% Ritter, 0,47% Dekurionen, 17,25% freigeborene Plebs, 63,6% Freigelasse-ne, 18,68% Sklaven.[139] In beiden großen Vereinstypen waren demnach bei-nahe zwei Drittel der Mitglieder Freigelassene. Die Berufsvereine waren ins-gesamt deutlich höhergestellt: Sie hatten in den Patronen, die hier eingerech-net sind, Anteile aus den höchsten Ständen (Senatoren und Ritter) und fast keine Sklavenmitglieder. Die religiösen Vereine dagegen hatten Patrone höchstens aus dem Kreis der Dekurionen und immerhin fast ein Fünftel Skla-ven. Dies bedeutet natürlich noch nicht, daß jeder einzelne Verein Sklaven aufnahm.[140] Für die Beurteilung der Statistik ist wichtig, daß es ja auch Ver-eine gab, die *nur* aus Sklaven bestanden (etwa in großen Haushalten).[141] Dennoch dürfte es in religiösen und speziell Begräbnisvereinen zu einer stär-keren Mischung gekommen sein als in Berufsvereinen.[142]

Für den griechischen Bereich liegen solche Zahlen leider nicht vor. Man muß sich hier auf ein allgemeines Urteil beschränken: Es bestand größere Zurückhaltung gegenüber der Aufnahme von Sklaven;[143] diese soziale Schranke wurde aber auch hier überstiegen, am ehesten in Kultvereinen.[144] Zudem hat sich der römische Einfluß allmählich in einer stärkeren Einbezie-hung der Sklaven geltend gemacht.[145]

---

[138] Bei den Sklaven gibt Fellmeth 0% an; es muß sich hier aber um eine Abrundung han-deln, denn die Summe der Prozentzahlen ergibt bei 0% Sklaven nicht 100.

[139] Beide Statistiken: Fellmeth, Vereine 89.

[140] Wenn Ausbüttel, Untersuchungen 41, darauf hinweist, daß es keine Belege für Vereine gibt, die *grundsätzlich* keine Sklaven zuließen, so ist das angesichts der großen Zahl von Vereinen, die *tatsächlich* keine Sklaven enthielten (vgl. die Statistik von Fellmeth), be-deutungslos.

[141] Vgl. Fellmeth, Vereine 118. Vgl. z.B. auch den Verein der Steinmetze in Luna, Carrara (dazu Burford, Craftsmen 162). Ausbüttel, aaO. 37.42 stellt mit Recht fest: Es gab zwar solche Vereine, aber die "Mehrzahl der römischen Kollegien besaß keine solche homogene Mitgliederstruktur" (37).

[142] Vgl. Bömer, Untersuchungen I,464 (=90); Fellmeth, ebd; ders., Bewußtsein 54-56; Kornemann, Art.: Collegium 417; Waltzing, Étude I,346f.368.

[143] Vgl. Poland, Geschichte 328f; Fox, Pagans 84; Meeks, Christentum 168 mit Anm.20.

[144] Vgl. Foucart, Associations 5f.10; Herrmann, Art.: Genossenschaft 96; Tod, Streiflichter 56; Ziebarth, Vereinswesen 193.

[145] Vgl. Bömer, Untersuchungen IV,1096 (=240); Meeks, Christentum 168 mit Anm.20.

Die genannten Vereinsstatuten bestätigen weitgehend das Gesagte. Die Vereine von Lanuvium und Alburnum maius sind eindeutig Begräbnisvereine; beide haben Freigelassene und Sklaven unter den Mitgliedern.[146] In Lanuvium wird das an der Regelung deutlich, daß ein Sklave, der freigelassen wird, zur Feier dieses Ereignisses eine Amphore guten Wein stiften muß.[147] Für Alburnum maius ist nur aus der Analogie anderer dakischer Vereine zu erschließen, daß Mitglieder "jene vermögensrechtlich selbständigen oder verarmten Freien und Freigelassenen oder ein Sondervermögen besitzenden Sklaven werden konnten, die sich weder an der Staatsmacht beteiligten, noch Mitglieder der Körperschaften der freien vermögenden Gewerbetreibenden sein durften".[148] Der Kultverein des Dionysios weist im Statut dreimal auf seine Zusammensetzung hin: "Männer und Frauen, Freie und Sklaven".[149] Gerade die Wiederholung dürfte zeigen, daß diese Offenheit nicht selbstverständlich war und dem Stifter am Herzen lag: "Es soll, cum grano salis gesagt, eine ἐκκλησία καθολική werden, und ihre Mysterien und die damit verbundenen Segnungen sollen allen zuteil werden, die die Bedingungen kultischer und moralischer Reinheit erfüllen."[150] In den besser gestellten Kultverein der Iobacchen wurden vermutlich keine Sklaven aufgenommen, denn in der langen Liste von freudigen Anlässen, bei denen jeder seinen Vereinsgenossen ein Trankopfer spendieren mußte (z.B. Heirat, Geburt eines Kindes, Verleihung des Bürgerrechts, Erlangung eines Amtes),[151] kommt die Freilassung nicht vor. Im Verein für Aesculap und Hygia drückte der Stifterwillen klar aus, daß nur Freie oder höchstens Freigelassene aufgenommen werden dürfen.[152] Dieser Verein unterscheidet sich damit von Begräbnisvereinen. Dem entspricht, daß der Vereinszweck offenbar im Gedächtnis des verstorbenen Mannes bzw. Bruders der beiden Stifter bei Festmählern besteht;[153] von Begräbnisfürsorge der Mitglieder ist nicht die Rede. Ferner hebt das ungewöhnlich hohe Stiftungsvermögen [154] den Verein von normalen collegia funeraticia ab.

---

[146] Der ebenfalls oben genannte Begräbnisverein von Ostia hat 80 Mitglieder, darunter Freigeborene, Freigelassene und ein Sklave; vgl. dazu Robertis, Contributi 71.

[147] II,7f. Einschlägig ist auch die Bestimmung, daß bei Todesfällen von Sklaven, deren Herr die Herausgabe des Leichnams verweigert, eine symbolische Bestattung (funus imaginarium) stattfindet (Z.II,4).

[148] Biró, Collegium 3.

[149] Z.5f.15f.53f.

[150] Weinreich, Stiftung 7. Dazu paßt, daß für Freie und Sklaven keine unterschiedlichen Strafen vorgesehen waren (vgl. Barton - Horsley, Cult Group 16f Anm.45).

[151] Z.127-136.

[152] Z.6.

[153] Z.2.18.

[154] 50.000 Sesterzen (Z.5) + 10.000 Sesterzen (Z.18).

Was wir zur Mitgliedschaft von Fremden und Sklaven beobachten konnten, gilt weitgehend auch für die von Frauen (das Statuskriterium des *Geschlechts*). Sie ist im römischen Bereich in religiösen und besonders Begräbnisvereinen relativ häufig; zu Berufsvereinen haben Frauen dagegen meist nur als Ehefrauen von Mitgliedern oder als Patroninnen Zugang.[155] Auch in griechischen Vereinen, besonders in religiösen, sind Frauen vertreten, insgesamt (mit der Ausnahme Attika) aber wohl seltener.[156] Hier wie dort gibt es auch reine (vor allem religiöse) Frauenvereine.[157] In unseren Vereinsstatuten ist nur für die Inschrift des Dionysios eine Zulassung von Frauen belegt, die hier sogar betont wird. Die übrigen Vereine scheinen nur Männer aufgenommen zu haben; eindeutig belegt ist dies aber nur im Fall des Vereins für Aesculap und Hygia.[158]

Aus den Beobachtungen zu Fremden, Sklaven und Frauen ergibt sich, daß viele Vereine Mitglieder mit (in diesen Hinsichten) unterschiedlichem Status aufwiesen. Man darf den Befund freilich nicht nivellieren: Während die Beteiligung von Fremden an griechischen *und* römischen Vereinen *verschiedenen* Typs häufig war, sind Sklaven und Frauen eher in römischen als griechischen und eher in religiösen (besonders Begräbnis-) als in Berufsvereinen anzutreffen. Dem entspricht es, daß vor allem in römischen religiösen Vereinen die Mitglieder sich manchmal als Brüder und Schwestern verstanden und benannten.[159] Es wurde die Fiktion einer Familie aufgebaut, und zwar nicht nur in Vereinen, deren Mitglieder tatsächlich als Angehörige desselben Haushalts zusammenlebten. Solche Vereinsfamilien kannten zwar auch Vater und Mutter, aber diese waren, abgesehen von manchen Haushaltsvereinen,[160] als Patron und Patronin so weit vom Vereinsleben entfernt, daß die Familienfiktion in der Praxis durchaus egalitären Charakter hatte.

---

[155] Fellmeth, Vereine 118; Kornemann, Art.: Collegium 417; Liebenam, Geschichte 173f; Schiess, Collegia 73-75 mit Anm.238; Waltzing, Étude I,348f; ähnlich Ausbüttel, Untersuchungen 42.

[156] Vgl. Poland, Geschichte 291-298; Fox, Pagans 84; Tod, Streiflichter 55f; etwas anders Foucart, Associations 5f. Vgl. aber Engelmann zur Inschrift eines Mysterienvereins in Kyme (Kleinasien): "Nach dem erhaltenen Teil der Namenliste zu urteilen, gehörten dem Verein viel mehr Frauen als Männer an. Dies erinnert sehr an jene vor allem in Lydien bezeugten Kultvereine der Kybele" (Inschriften 90).

[157] Vgl. Poland, aaO. 290; Schiess, Collegia 75; Stöckle, Art.: Berufsvereine 184; Tod, aaO. 55; Waltzing, Étude I,348.

[158] Hier ist davon die Rede, daß man die Mitgliedschaft "seinem Sohn oder Bruder oder höchstens seinem Freigelassenen" vermachen kann (Z.6).

[159] Vgl. Bömer, Untersuchungen I,546-552 (=172-178); Herrmann, Art.: Genossenschaft 86; Kornemann, Art.: Collegium 402; Nock, Importance 105; Poland, Geschichte 54f.529; Popkes, Art.: Gemeinschaft 1115.

[160] Vgl. o. § 5,1.

Eine der oben genannten Statusdifferenzierungen ist noch nicht behandelt worden: unterschiedlicher *Besitz*. Grundsätzlich rekrutierten sich die allermeisten Vereine aus den ärmeren Schichten der Bevölkerung; dafür spricht schon der hohe Anteil von Freigelassenen, unter denen Leute wie der reiche Trimalchio (im Satyricon des Petronius) sicher die Ausnahme waren. Überhaupt gibt die oben angeführte Statistik von Fellmeth, die die Mitglieder verschiedener Vereinstypen nach rechtlich definierten Kategorien (ordines, Freigeborene - Freigelassene - Sklaven) untersucht, wertvolle Hinweise auf die Besitzverhältnisse, auch wenn im Einzelfall eine Diskrepanz zwischen Besitz und Rechtsstand möglich ist. Demnach waren die religiösen Vereine im Schnitt ärmer als die Berufsvereine. Für die Besitzverhältnisse im einzelnen Verein besagt das natürlich zunächst nichts. Es gewinnt erst dann Aussagekraft, wenn wir die Beobachtung dazunehmen, daß in wohlhabenderen Vereinen die Ämter sich an das Patronat annäherten.[161] Die Amtsmonopolisierung, die hier einsetzt, ist wohl mit Besitzunterschieden im Verein zu erklären. Nicht jedes Mitglied sah sich imstande, für die Ehre eines Amtes entsprechende Aufwendungen zu bestreiten. Deshalb wurden die Ämter von wenigen wahrgenommen bzw. dem auf Dauer übertragen, der sich am spendabelsten zeigen konnte und wollte. Deshalb waren hier auch die erwarteten Leistungen beträchtlich. Dagegen wurde in den ärmsten Vereinen das gleiche passive Wahlrecht tatsächlich praktiziert. Da hier alle ohnehin gleich arm waren, mußte der Aufwand für die Amtsführung sehr niedrig gehalten werden, um überhaupt Anwärter zu finden; manche Vereine griffen sogar zu dem Mittel der obligatorischen Amtsrotation.

Insgesamt ergibt sich also: In den ärmeren, d.h. den religiösen und auf Begräbnisfürsorge konzentrierten Vereinen war die Homogenität im Hinblick auf den Besitz höher, im Hinblick auf Rechtstellung und Geschlecht geringer als in den wohlhabenderen, d.h. den Berufsvereinen. Der Herkunft nach sind alle Vereine zumindest potentiell heterogen. Die oft geäußerte Vermutung einer starken sozialen Homogenität der griechisch-römischen Vereine ist in diesem Sinne einzuschränken.[162]

---

[161] Vgl. o. § 5,2.

[162] Ungenau ist auch noch die Differenzierung bei Malherbe, Aspects 88f, wonach nur in Berufsvereinen, nicht in Kultvereinen Menschen mit unterschiedlichem sozialem Status verbunden waren: Diese Feststellung gilt in Wirklichkeit nur für den mit Besitz verbundenen Status; in anderer Hinsicht, eben in Rechtsstellung und Geschlecht, wiesen Kultvereine eine größere Statusdifferenzierung auf.

§ 6) Zusammenfassung und Auswertung

Die Beobachtungen zum griechisch-römischen Vereinswesen lassen sich in drei Thesen bündeln, die ich jeweils kurz erläutere:

(1) Die soziale Struktur von Vereinen ist durch eine Verbindung hierarchischer und egalitärer Elemente gekennzeichnet.

Hierarchische Elemente fanden wir: im Aufbau der Mitgliederlisten; in der Übernahme des in der Umwelt üblichen Patronatssystems, wobei der soziale Marktwert des Patrons und der des Vereins einander entsprechen müssen; in der Einrichtung und Benennung der Vereinsämter, die oft so gestaffelt sind, daß sie einen cursus honorum ergeben; in der Ausrichtung der Ämter (wie des Patronats) auf Prestigegewinn, eine Ausrichtung, die sich besonders deutlich in den größeren Anteilen der Amtsträger und Patrone an den von ihnen selbst gestifteten Geschenken zeigt; und schließlich in der Monopolisierung der Ämter, die in manchen Vereinen nicht mehr jedem Mitglied zugänglich waren.

Egalitären Charakter haben: die Mitgliedervollversammlung, die das entscheidende Organ des Vereins darstellt und in der alle gleiches Mitsprache-, Antrags- und Stimmrecht besitzen; die bleibende Verpflichtung der Ämter auf den Vereinswillen durch Strafbestimmungen, Rechenschaftspflicht und Kaution, die in Verbindung mit den vom Amtsträger erwarteten Spenden und Leistungen das Amt durchaus als Dienst am Verein verstehen lassen; die manchmal zu beobachtende Rotation von Ämtern; die Mischung der Mitglieder, die (besonders in römischen religiösen Vereinen) soziale Schranken der Umwelt teilweise überwindet; damit zusammenhängend die Fiktion einer Familie, in der geschwisterliche Vertrautheit zwischen sonst distanzierten Gruppen entsteht.

Die Vereine haben also einiges mit Städten gemeinsam, insbesondere die Bemühung um Demonstration oder Gewinn von Status, eine Bemühung, die viele Erscheinungen des Vereinslebens prägt. Andererseits sind die Vereine nicht einfach Kopien der Stadt in kleinerem Maßstab. Sie unterscheiden sich von ihrer Umwelt wesentlich dadurch, daß - trotz aller Hierarchie - die Verantwortung für die (mehr oder weniger gemischte) Gruppe in der Regel bei *allen* Mitgliedern gemeinsam liegt.[163] Nur aufgrund dieses Unterschieds läßt

---

[163] Fellmeth, Vereine 137, konstatiert zu Recht einen deutlichen "Wille(n) zu basisdemokratischen Verfahren".

sich verstehen, daß Vereine ihre Blüte zu den Zeiten hatten, in denen die Oligarchie zu- und die Bindungskraft der Städte abnahm. Die Vereine befriedigten bei vielen ihrer Mitglieder Bedürfnisse nach Mitgestaltung und Identitätsgewinn, die anderweitig nicht mehr befriedigt wurden.

(2) Die Gewichtung dieser hierarchischen und egalitären Elemente ist von der sozialen Stellung des jeweiligen Vereins (bzw. Vereinstyps) abhängig: Je höher ein Verein(styp) in der Hierarchie der sozialen Umwelt steht, desto dominanter sind in ihm die hierarchischen Züge.

Diese These setzt zunächst voraus, daß Beziehungen auch zwischen Menschen mit sehr verschiedenem Status grundsätzlich *Austausch*beziehungen waren. Selbst für die Etablierung eines Klientelverhältnisses mußten *beide* Seiten etwas zu bieten haben. Wer nichts zu bieten hatte, hatte auch nichts zu erwarten, konnte also in keine Beziehung zu einem Höherstehenden eintreten.

Angewendet auf Vereine bedeutet das: Jeder Verein besaß ein gewisses Potential, Wohltätern zusätzliches Prestige zu verschaffen. Je größer dieses Potential war (was von der Größe, dem Alter und der sozialen Zusammensetzung des Vereins abhing), desto höherstehend waren die Patrone, die der Verein für sich gewinnen konnte. Dabei wurde der Abstand zwischen Mitgliedern und Patron zunehmend größer. Relativ hochstehende Vereine, d.h. vor allem Berufsvereine, die durch ihre Patrone Beziehungen zum Senatoren- oder Ritterstand (und damit zu den honestiores) hatten, bildeten allein dadurch die Hierarchie der Umwelt weit umfassender ab und profitierten von ihr mehr als solche, deren Patron ein Freigelassener (also ein humilioris wie die Mitglieder) war.[164] Mit zunehmendem Status eines Vereins näherte sich aber auch, wie wir gesehen haben, die Rolle der Amtsträger der von Patronen an: Die Amtszeiten wurden länger bzw. der Kreis der Kandidaten kleiner. Großes Prestigepotential bewegte manche zum Eintritt in einen Verein, dessen Mitglieder im Schnitt weniger wohlhabend waren als sie selber; hier konnten sie auf Dauer die Rolle von Wohltätern übernehmen und entsprechenden Prestigegewinn erzielen.

Die egalitäre Haltung der ärmsten Vereine entsprang nicht einem proletarischen, revolutionären Ethos; sie sollte nicht die hierarchische Struktur der

---

[164] So auch Fellmeth, aaO. 196f. Da Berufsvereine Beziehungen zu den höchsten Schichten hatten, waren in ihnen die demokratischen Züge weniger deutlich als in sodalitates.

Gesamtgesellschaft in Frage stellen,[165] sondern war lediglich eine Folge dieser Hierarchie. Solche Vereine hatten kaum Prestige zu bieten, deshalb blieb es bei einem Minimum an Leitungsstruktur. Der soziale Abstand der Patrone zu den Mitgliedern war nicht sehr groß. Auch die Ämter waren nicht so prestigeträchtig, daß sie Wohlhabendere zur Mitgliedschaft bewegt hätten. Der Aufwand für ein Amt mußte deshalb sehr gering gehalten werden, wollte man, bei gleicher Armut aller, überhaupt Anwärter finden; dadurch wurde aber die Möglichkeit des Prestigegewinns weiter eingeschränkt. Ein Amt, das im Extremfall rotierend von allen Mitgliedern wahrgenommen wird, erhöht den vereinsinternen Status nur mäßig.

(3) Die (unterschiedlich gewichtete) Verbindung von Hierarchie und Egalität in Vereinen bewirkte eine Entlastung der Mitglieder vom Druck der sozialen Hierarchie in der Umwelt.

Im römischen Kaiserreich war, wie gesagt, das Bewußtsein der sozialen Hierarchie sehr stark ausgeprägt. Über die eigene Stellung und die der anderen gab es keinen Zweifel, denn Rang und Status wurden mit zahlreichen Symbolen demonstriert.[166] Mir scheint die Zunahme des Vereinswesens auch darin einen Grund zu haben, daß die Vereine durch gesamtgesellschaftliche und durch vereinsinterne (mehr oder weniger fiktive) Statuserhöhung zum Abbau des sozialen Drucks auf den einzelnen beitrugen.

Die soziale Mobilität im römischen Reich war beschränkt, aber vorhanden. Aufsteigen konnte man vor allem durch kaiserliche Beförderung (z.B. zum Senator, Ritter oder römischen Bürger), durch den Dienst in der Armee (der zum Bürgerrecht führte), bei Sklaven durch Freilassung.[167] Ein

---

[165] Dessen ungeachtet wurde sie vom Staat wohl als revolutionär verstanden, wie die Vereinsverbote und -beschränkungen zeigen (vgl.o. § 4,2). Es ist in der Tat denkbar, allerdings (abgesehen vom Faktum der Verbote) schwer zu belegen, daß die Vereine faktisch (ohne es zu beabsichtigen!) eine gewisse Gefahr für die hierarchische Gesellschaftsverfassung darstellten.

[166] Vgl. Reinhold, Usurpation 275: Im Prinzipat entwickelte sich die römische Gesellschaft zu "one of the most hierarchic and status-conscious social orders in mankind's history. In the imperial period, under the influence of the sociopolitical philosophy of Augustus, the Romans developed the highest degree and diversity of formal social stratification, and at the same time the highest incidence of social mobility in antiquity". Ob man, wie Reinhold es offenbar tut, für das 1.Jh.n.Chr. mit einer *Zunahme* des sozialen Drucks rechnen muß (der damit zusammenhängen könnte, daß die Früchte des ökonomischen Aufschwungs der Friedenszeit sehr ungleich verteilt wurden [so Blasi, Christianity 180]), scheint mir aber eine offene Frage. Meine These ist von dieser Annahme nicht abhängig.

[167] Vgl. Stambaugh - Balch, Umfeld 110f; Garnsey - Saller, Kaiserreich 174-177; Vittinghoff, Gesellschaft 249-253.

vergleichbares Mittel war die Mitgliedschaft in einem Verein, die einen Statusvorsprung gegenüber der restlichen plebs bedeutete. Vereine bewirkten zudem interne Statuserhöhungen, indem sie den gesamtgesellschaftlich üblichen Zusammenhang von Wohltaten und Ehrungen in ihren Reihen abbildeten. Besonders interessant ist die Rolle, die dabei der Fiktion zukam.[168] Natürlich hat jede Statuserhöhung mit Fiktion zu tun; es geht immer um den Aufstieg auf einer Skala, die keineswegs die einzig mögliche ist, jedoch im Rahmen einer (meist stillschweigenden) Übereinkunft von der Bezugsgruppe als gültig anerkannt wird. In besonderer Weise wird Fiktion aber dort wirksam, wo die für Statuserhöhung üblichen Regeln zwar formal eingehalten, in Wirklichkeit aber außer Kraft gesetzt werden. Solche Fiktion kann illegal sein: Oft wurde Status erschlichen, indem z.B. Eltern die Geburtsurkunden ihrer Kinder fälschten, um ihnen römisches Bürgerrecht zu verschaffen, oder indem jemand sich freiwillig für kurze Zeit bei einem römischen Bürger in Sklaverei begab, um nach der von vornherein vereinbarten Freilassung selbst das Bürgerrecht zu erhalten. Es gab aber auch legale Fiktionen: Der Kaiser konnte Freigelassenen, die als solche zum Ritterstand nicht zugelassen waren, ingenuitas (freie Abstammung) zuerkennen und ihnen so den Aufstieg ermöglichen; in Munizipien wurden manchen Freigelassenen, die als solche auch nicht Dekurionen werden konnten, immerhin fiktive ornamenta decurionalia, also Rangabzeichen für einen Stand, den sie nicht hatten, gewährt; um das allgemeine Streben nach Prestige zu befriedigen, wurden durch den Staat fiktive Ämter und Ehren eingeführt. Dazu paßt nun gut ein Phänomen, das wir bei Vereinen beobachten: Die Amtsträger erhalten Titel (wie quaestor und decurio), die aus Stadt und Staat übernommen sind und fiktives Prestige zuweisen. Besonders auffällig ist diese Sitte bei den ärmsten und egalitärsten Vereinen, denn hier entspricht die soziale Realität im Verein den Titeln ja am wenigsten. Ein schönes Beispiel ist ein Sklavenverein, der die pompösen Titel tribunus, quaestor und triumvir vergab.[169] Diese Titel waren in solchen Vereinen wohl für alle erreichbar, so daß hier der fiktive Prestigegewinn egalitär verteilt wurde.

Wichtig ist also: Vereine waren nicht einfach Orte, an denen die soziale Hierarchie außer Kraft gesetzt wurde. Erleichterung von sozialem Druck erreichten sie vielmehr dadurch, daß sie Hierarchie reproduzierten, aber mit einer gewissen Egalität kombinierten.

---

[168] Zum Folgenden vgl. Reinhold, Usurpation bes. 286-290.
[169] Dieses Beispiel bei Dill, Society 267 (ohne Quellenangabe).

3. Teil: Statusdifferenzierung in paulinischen Gemeinden

§ 7) *Zur Quellenlage*

Die Frage nach der Statusdifferenzierung in paulinischen Gemeinden läßt sich nur aus den Paulusbriefen beantworten.

Diese lapidare Feststellung enthält einige Probleme.

Status hat, wie wir gesehen haben, eine subjektive und eine objektive Seite: subjektiv, weil er von der Einschätzung durch eine Gruppe menschlicher Subjekte lebt; objektiv, weil diese Einschätzung nicht einfach willkürlich und regellos ist, sondern sich an feststellbare (wenn auch subjektiv gewählte) Indikatoren wie Besitz und Einfluß bindet. Für unsere Fragestellung bedeutet das, daß wir sowohl nach den Einschätzungen wie nach den zugrundeliegenden Indikatoren von Status in paulinischen Gemeinden fragen müssen. Beides ist nur über die Briefe des Paulus zugänglich. Gerade die Korintherbriefe zeigen sehr deutlich, daß Paulus und seine Gemeinde in der Frage des Status nicht immer übereinstimmen. Mit dieser Möglichkeit ist auch für andere Gemeinden zu rechnen. Wir sind also mit dem Problem konfrontiert, in den Briefen zwischen den Statuseinschätzungen und zugrundeliegenden Indikatoren der Gemeinden einerseits und denen des Paulus andererseits zu unterscheiden. Mögliche Schwierigkeiten sind dabei konkret: Ist Paulus über die Gemeindeverhältnisse zuverlässig und ausreichend informiert? Unterscheidet er klar genug zwischen der Situation der Gemeinde (der Realität) und seiner eigenen Sicht (dem Ideal) oder beeinflußt das Ideal schon die Darstellung der Realität (etwa durch Verkürzung, Übertreibung, negative Umdeutung)? Diese Fragen lassen sich nicht allgemeingültig beantworten. Sie müssen bei den folgenden Analysen im Blick bleiben.[1]

---

[1] Etwas entlastend sind die Überlegungen von Funk, Status 20f, der die Bedeutung solcher Fragen durch drei Überlegungen einschränkt: "1. Wie jeder Mensch hatte Paulus das Wissen um soziale Gegebenheiten, deren Begründung, Sinngebung und Bewertung im Verlauf seiner primären (als hellenistischer Jude) und sekundären Sozialisation (als Christ) von seiner Umwelt übernommen. Daher zeigen die Aussagen des Paulus über Status nicht nur seine individuellen Einstellungen und Erwartungen, sondern auch die seiner soziokulturellen Umwelt. (...) 2. Paulus schrieb an Adressaten - die Gemeinde in Rom und Philemon ausgenommen -, die durch ihn Christen geworden waren. Die Adressaten waren also bereit, mit Paulus Wertungen und Normen zu teilen. (...) Die Übereinstimmung zwischen Paulus und seinen Gemeinden zeigt sich außer in seinem Erfolg als Gründer und Leiter ch.istlicher Gemeinden auch in der Hochschätzung seiner Briefe (...). 3. Die gegenteilige Hypothese, daß die Einstellungen, Werte und Normen des Paulus beträchtlich von denen seiner Gemeinden abwichen, ist weder zu begründen noch mit den unter Nr.2 genannten Fakten vereinbar."

Damit hängt ein weiteres Problem zusammen, mit dem soziologisch orientierte Exegese immer zu kämpfen hat: die Frage der verfügbaren Daten. Bringt Paulus sozialgeschichtlich relevante Informationen, die er bei der Gemeinde voraussetzen kann, trotz dieser gemeinsamen Basis so deutlich zur Sprache, daß wir uns ein Bild machen können? Das nüchterne Urteil Schrages ist bedenkenswert:

> "Obschon gerade der 1.Korintherbrief nicht zufällig als Ansatz für soziologische Forschungen gedient hat, stößt eine Analyse der korinthischen Gemeindestruktur wegen der Spärlichkeit der Quellen auch hier sehr bald an ihre Grenzen. Weil soziologische Faktoren von erheblichem Einfluß auf religiöse und weltanschauliche Haltungen und Entwicklungen sind, kann man das nur bedauern."[2]

Weiter geht Schöllgen in seiner ausführlichen Besprechung eines wichtigen Buchs von W.A. Meeks ("The First Urban Christians", dt. "Christentum und Stadtkultur"): Schöllgen zufolge läßt sich das Vorhaben von Meeks, die Sozialstruktur der paulinischen Gemeinden zu bestimmen, wegen der Unergiebigkeit des Materials nicht durchführen.[3] Dabei wirft er Meeks die abwegige Auffassung vor, "daß viele nur mögliche Interpretationen im Sinne einer Konvergenzargumentation zusammengezogen die höheren Weihen der Wahrscheinlichkeit erhalten".[4] Mir scheint Schöllgens Skepsis überzogen.[5] Für ihn sind offenbar exakte und detaillierte Kenntnisse der Gemeinden und ihrer Umwelt die unabdingbare Voraussetzung dafür, überhaupt etwas zur Sozialstruktur sagen zu können; solche Informationen sind natürlich in der Tat nicht erhältlich. Auch die Kritik an Meeks geht zu weit: Dessen Einzelargumente haben oft durchaus Wahrscheinlichkeits-, nicht nur Möglichkeitscharakter, so daß eine Konvergenzargumentation sinnvoll ist. Richtig ist aber Schöllgens Hinweis darauf, daß nicht bei allen Paulusgemeinden die gleiche Sozialstruktur vorauszusetzen ist;[6] die Erkenntnisse aus den Korintherbriefen dürfen nicht einfach verallgemeinert werden. Lokalgeschichtliches Arbeiten ist notwendig.[7] Deshalb stütze ich mich im folgenden zwar vor allem auf 1 Kor als die ergiebigste Quelle, frage daneben aber auch nach relevanten Daten aus anderen Gemeinden.

Mein Vorhaben ist also, Hinweisen der Paulusbriefe auf Statusdifferenzierung, insbesondere auf Patronatsbeziehungen, Gemeindeämter und den (gemeindeinternen und gesamtgesellschaftlichen) Status der einzelnen Ge-

---

[2] Schrage, 1 Kor I,32.
[3] So Schöllgen, Sozialstruktur bes. 78.
[4] Ders., aaO. 75.
[5] Vgl. auch Schmeller, Brechungen 47.
[6] So Schöllgen, Sozialstruktur 73f.
[7] So auch Botermann, Paulus 299.

meindemitglieder, nachzugehen. Zwar ist in der Tat das sozialgeschichtlich relevante Material beschränkt, - Einzelprobleme und Sekundärliteratur dazu gibt es aber in solcher Fülle, daß sie im Rahmen dieser Studie kaum zu bewältigen sind. In vielen Fällen muß ich mich auf Andeutungen beschränken.

§ 8) Patrone und Klienten?

Patronats- bzw. Klientelbeziehungen sind im frühchristlichen Bereich auf zwei Ebenen vorstellbar: 1. zwischen Missionaren (vor allem, aber nicht nur Paulus) und der Gemeinde (bzw. einzelnen Gemeindemitgliedern) und 2. in gemeindeinternen Konstellationen.

1. Das Verhältnis zwischen Missionar und Gemeinde

In einer der neuesten Veröffentlichungen zum Thema vertritt Lukas Bormann die These, das Verhältnis zwischen Paulus und der Gemeinde in Philippi sei eine Beziehung zwischen Patron und Klientel gewesen.[8] Vorausgesetzt wird hier eine bestimmte Form der Klientelbeziehung, bei der sich - so Bormann - die Klientel nicht aus einzelnen, minderprivilegierten, vom Patron abhängigen Individuen zusammensetzte, sondern eine organisierte, solidarische Gruppe darstellte, die selbstbewußt in einem Austauschverhältnis mit dem Patron stand; Patron und Klientel verfolgten hier in verschiedenen Rollen *gemeinsame* Interessen zu beiderseitigem Nutzen.[9]

Als wichtigsten Hinweis auf ein solches Verhältnis zwischen Paulus und der Gemeinde in Philippi nennt Bormann die Gabe, die Paulus von der Gemeinde empfängt und für die er sich in dem ursprünglich selbständigen Brief Phil 4,10-20 bedankt: "Die Sicherheit, mit der Paulus (sc. in 4,10, Th.Sch.) von dieser Gabe und dem Willen der Philipper, sie zu leisten, spricht, weist auf eine von beiden Seiten akzeptierte Form der Beziehung hin, aus der Erwartungen und Ansprüche abgeleitet werden können".[10] Es handelte sich nach Bormann nicht um eine Unterstützung, die nur aktuell auf die Notlage des Paulus reagierte, sondern die Gabe war Teil einer längerfristigen Hilfe, auf die Paulus sich verließ und verlassen konnte. Weil er für die gemeinsame Sache des Evangeliums vor Gericht stand, sahen die Philipper es als ihre Klientenpflicht an, ihm beizustehen. Vermutlich sollte Epaphroditos nicht nur

---

[8] L. Bormann, Philippi (1995) bes. 206-224.
[9] Diese Form beschreibt Bormann aaO. 187-205.
[10] Bormann, aaO. 208.

die Gabe überbringen, sondern auch versuchen, durch Aufbau von Beziehungen den Prozeßverlauf günstig zu beeinflussen.[11] Als Gegenleistung des "Patrons" Paulus versteht Bormann - neben der "Vertretung der gemeinsamen Sache des Evangeliums"[12] vor Gericht - die Ankündigung eines Besuchs (1,24-26; 2,24), die zeigt, wie wichtig Paulus die Fortsetzung des Kontakts nimmt; bei diesem Besuch soll die Gemeinde, so Paulus, sich "in Christus Jesus durch mich (oder: meiner) rühmen" (1,26). Die Verfolgung der Gemeinde durch die römische Umwelt war nach Bormann eine Folge dieses Klientelverhältnisses, denn eine solche überlokale Bindung wurde in Philippi, das im julisch-claudischen Haus einen Patron mit exklusiver Tendenz besaß, negativ aufgenommen, zumal der Staat gegenüber den Organisationen von Bürgern in Vereinen sehr mißtrauisch war.[13]

So in aller Kürze die hauptsächlichen Thesen und Argumente Bormanns. Am ehesten überzeugend ist m.E. der Hinweis auf den Selbstruhm ($\kappa\alpha\acute{\upsilon}\chi\eta\mu\alpha$) der Gemeinde beim Besuch des Paulus. Hier könnte tatsächlich ein Anklang an die Sprache und Vorstellungswelt des Patronats vorliegen: Das Prestige eines Patrons färbt gleichsam auf die Klienten ab. Dennoch ist die postulierte Beziehung zwischen Patron und Klientel insgesamt schwer nachvollziehbar. Die Gabe der Philipper mag als ein beneficium gegolten haben[14] - beneficia zu verteilen ist aber Sache des Patrons, nicht des Klienten. Insbesondere ist es Sache des *Patrons*, einem *angeklagten Klienten* vor Gericht beizustehen und dafür den eigenen Einfluß zu verwenden. Wahrscheinlicher wäre von daher eine genau umgekehrte Zuweisung der Rollen von Patron und Klient. Das Hauptproblem der These liegt aber darin, daß die von Bormann behauptete Form der Klientelbeziehung m.E. in der Zeit des Prinzipats nicht existierte. Bormann stützt sich im wesentlichen auf zweierlei: zum einen die politisierte Klientel des P. Clodius Pulcher (und ähnlicher Politiker), eines Patriziers, der in die plebs übergetreten war und nun als eine neue Art von Patron tatsächlich gemeinsame Interessen vertrat;[15] zum anderen die sehr positive Darstellung des Klientelverhältnisses bei Dionysios von Halikarnassos (in den 7 v.Chr. veröffentlichten Antiquitates Romanae, II,9-

---

[11] So ders., aaO. 212f.
[12] Ders., aaO. 214..
[13] So ders., aaO. 220-224.
[14] So ders., aaO. 207.
[15] Vgl. ders., aaO. 190-192. Bormann verweist zwar darüberhinaus auf die Heeresklientel und das Patronat des Prinzeps gegenüber dem gesamten Reich und gegenüber einzelnen Städten (aaO. 192-197). Die Heeresklientel war aber auch in Philippi für einen großen Teil der Bevölkerung nicht relevant; das Patronat des Prinzeps wiederum war nicht durch Selbstbewußtsein der Klientel und Gemeinschaft mit dem Patron gekennzeichnet.

11). Beides hat mit der Realität im 1.Jh.n.Chr. nichts zu tun. Die politisierte Klientel verschwand mit dem Ende der Republik, und die Schilderung bei Dionysios ist eine (in der Frühzeit Roms angesetzte) Verherrlichung des Patronats als einer Symbiose, die für alle Stände am besten sei. Die Realität sah sicher anders aus: "In der Kaiserzeit beraubte die Ohnmacht der Volksversammlungen das gewöhnliche Volk seines politischen Einflusses und damit auch den Adel jedes Anreizes, seine einfachen Klienten mit einem Mindestmaß von Achtung zu behandeln".[16] Bormann kann auch keinen einzigen Beleg dafür beibringen, daß die idealisierende Sicht des Patronats bei Dionysios wenigstens nostalgische *Sehnsüchte* ausdrückten, die im 1.Jh. verbreitet gewesen wären und im Verhältnis Paulus-Gemeinde dann Verwirklichung gefunden hätten. Die Hauptthese Bormanns scheint mir deshalb unwahrscheinlich.

Könnten aber nicht umgekehrt Paulus und andere Missionare *Klienten* wohlhabender Gemeindemitglieder gewesen sein? Hier ist zunächst auf Röm 16,1f zu verweisen: Paulus bittet die Gemeinde von Rom, "unsere Schwester Phoebe" aufzunehmen und zu unterstützen; er begründet seine Bitte damit, daß Phoebe für viele andere und für ihn selbst eine προστάτις war. Vor allem ältere Auslegungen übersetzen hier gerne mit "Helferin", "Beistand" oder einem ähnlich allgemeinen, nicht-technischen Ausdruck, denn - so wird hier argumentiert - "Patronin" im eigentlichen Sinn könne Phoebe als Frau nicht gewesen sein.[17] Neuerdings verweist man dagegen zu Recht darauf, daß Frauen z.B. in Vereinen durchaus als Patroninnen bezeugt sind [18] und will deshalb Phoebe als Patronin des Paulus und anderer Christen verstehen.[19] Auch wenn eine solche Deutung an sich möglich ist, scheint sie mir aus drei Gründen nicht naheliegend: Erstens ist die Beziehung der Rolle Phoebes als προστάτις sehr offen; sie ist nicht προστάτις ihrer Heimatgemeinde, sondern "vieler". Zweitens ist der Hinweis auf ihre Rolle mit "καὶ γὰρ αὐτή" an den vorangehenden Satz angeschlossen; die römische Gemeinde wird nicht aufgefordert, Patronin der Phoebe zu werden, weil auch diese Patronin vieler ist, sondern ihr beizustehen (παραστῆτε), weil auch sie vielen beigestanden hat.

---

[16] Garnsey - Saller, Kaiserreich 215; zum Patronat vgl. auch o. § 3,2.

[17] So in neuerer Zeit noch Chapple, Leadership 223 mit (288) Anm.295 (dort Hinweise auf ältere Literatur). Phoebe als "Helferin, Beistand" auch noch bei Wilckens, Röm III,131f, und Romaniuk, Phoebe 134 ("Phoebe served in a general way the entire community and was a help to Paul in preaching the Gospel.")

[18] Vgl. dazu o. § 5,1.

[19] So Chow, Patronage 101; Jewett, Paul 149f. Phoebe als patrona auch bei Schrage, 1 Kor I,33; Hainz, Ekklesia 348. Marshall, Enmity 145, bestimmt die Beziehung zwischen Paulus und Phoebe vorsichtiger als patronale Freundschaft.

Drittens ist es, wie wir gleich sehen werden, unwahrscheinlich, daß Paulus sich in ein Klientelverhältnis begeben hat. Προστάτις ist deshalb doch eher mit "Beistand" wiederzugeben.

Paulus legt immer wieder großen Wert darauf, daß er seinen Lebensunterhalt selbst verdient. In 1 Kor 9 muß er sich erstaunlicherweise sogar dafür verteidigen, daß er keine Unterstützung annimmt. Die Notwendigkeit dieser Verteidigung wird von Chow (und Marshall) so erklärt: Wohlhabende Gemeindemitglieder in Korinth waren beleidigt, daß Paulus im Unterschied zu anderen Missionaren ihr Angebot patronaler Unterstützung ablehnte.[20] In der Tat ist die Annahme naheliegend, Paulus habe sich gegenüber Leuten verteidigt, die andere Missionare unterstützten. Der Grund ihrer Kritik an Paulus muß aber nicht in gekränkter Ehre liegen. Die alternative Erklärung Theißens steht m.E. auf sichereren Füßen: Paulus verletzte mit seiner Erwerbstätigkeit eine Norm der Wandercharismatiker, die auf Jesus zurückging (V.14!), nämlich "die Verpflichtung der Missionare zu charismatischer Armut, d.h. einer Armut, die auf reguläres Betteln verzichtet, sich aber - im Vertrauen auf den eigenen religiösen und sozialen Status als 'Apostel', 'Prophet' usw. - von unplanbaren Spenden anderer abhängig macht".[21] Die Selbstversorgung des Paulus konnte man ihm als "Mißtrauen in die Gnade Gottes, der seinen Missionar auch materiell erhalten werde",[22] auslegen. Andere Missionare hielten sich dagegen an dieses Gebot und konnten dabei in den hellenistischen Städten an die soziale Rolle kynisch-stoischer Wanderprediger anknüpfen.[23] Wenn also Gemeindemitglieder solche Missionare unterstützten, wurden sie dadurch nicht mehr zu ihren Patronen als jemand, der einen Wanderprediger eine Zeitlang aufnahm oder sonstwie unterstützte, bereits dessen Patron war. Immerhin ist aber eine gewisse Nähe zum Patronat (das im eigentlichen Sinn seßhafte Verhältnisse voraussetzt) gegeben.

2. Gemeindeinterne Konstellationen

Wir nehmen zunächst Hinweise auf mögliche Patron-Klient-Beziehungen in den Blick, die sich in *mehreren* Paulusgemeinden finden und für diese als Hausgemeinden typisch sein dürften, danach Erscheinungen speziell in der Gemeinde von Korinth.

---

[20] So Chow, aaO. 108-110. Marshall, aaO. 218-233.257f, spricht von ausgeschlagenen *Freundschafts*angeboten, die mit finanzieller Unterstützung verbunden waren.
[21] Theißen, Legitimation 216.
[22] Ders., ebd.
[23] Vgl. ders., aaO. 220.

2.1 Die paulinischen Hausgemeinden [24]

Die Gemeinden des Paulus versammelten sich in den Privathäusern, die überdurchschnittlich wohlhabende Christen dafür öffneten. Es ist hier nicht nötig, alle Hausgemeinden aufzuzählen. Erwähnt seien nur die Häuser von Priska und Aquila in Ephesus (1 Kor 16,19) und Rom (Röm 16,3-5) und die von Krispus (Apg 18,8; 1 Kor 1,14), Gaius (Röm 16,23; 1 Kor 1,14) und Stephanas (1 Kor 1,16; 16,15-18) in Korinth. Man darf annehmen, daß die Besitzer dieser Häuser in der jeweiligen Gemeinde eine hervorgehobene Stellung und eine gewisse Leitungsfunktion bei den Versammlungen besaßen. [25]

Im Fall des Stephanas läßt sich diese allgemeine Annahme belegen und präzisieren. In 1 Kor 16,15-18 [26] fordert Paulus die Gemeinde auf, sich dem Haus des Stephanas "unterzuordnen" und es "anzuerkennen". Begründet wird die Mahnung damit, daß die Angehörigen dieses Hauses 1. die ersten Christen in Achaia waren, 2. sich für den Dienst ($\varepsilon\iota\varsigma$ $\delta\iota\alpha\kappa\nu\iota\alpha\nu$) an den Heiligen bereitgestellt haben und 3. durch ihre Anwesenheit bei Paulus die Gemeinde praktisch vertreten. Der entscheidende Grund muß der zweite sein, denn die Aufforderung zur Unterordnung gilt auch gegenüber "jedem, der mitwirkt ($\sigma\upsilon\nu\varepsilon\rho\gamma\upsilon\nu\tau\iota$) und sich abmüht ($\kappa\sigma\pi\iota\omega\nu\tau\iota$)" (V.16), und der abschließende Satz ist: "Erkennt also *solche* an!"(V.18). Von den zentralen Begriffen in diesem Abschnitt her lassen sich Beziehungen zu anderen Personen herstellen. [27] Priska und Aquila, Vorstände eines christlichen Hauses (s.o.), sind ebenfalls Mitarbeiter ($\sigma\upsilon\nu\varepsilon\rho\gamma\iota$) des Paulus (Röm 16,3); Phoebe, vermutlich eine relativ wohlhabende Geschäftsfrau, ist "Diakonin/Dienerin" ($\delta\iota\alpha\kappa\nu\varsigma$) der Gemeinde von Kenchreae (Röm 16,1);[28] in 1 Thess 5,12f fordert Paulus zur Anerkennung und Hochschätzung einiger "wegen ihrer Leistung ($\varepsilon\rho\gamma\nu$)" (V.13) auf, näherhin derer, "die sich unter euch abmühen ($\kappa\sigma\pi\iota\omega\nu\tau\alpha\varsigma$), die sich um euch kümmern (oder: euch leiten) ($\pi\rho\iota\sigma\tau\mu\varepsilon\nu\iota$) im Herrn und die euch ermahnen" (V.12).[29] Auch an das Präskript des Phil kann man denken, wo Paulus "alle Heiligen (...) zusammen mit den Episkopen ($\varepsilon\pi\iota\sigma\kappa\sigma\pi\iota$) und den Diakonen/Dienern ($\delta\iota\alpha\kappa\nu\iota$)" (Phil 1,1) grüßt; diese zwei Funktionen lassen sich wohl mit den bereits genannten zusammenbringen; die tituläre

---

[24] Vgl. bes. den ausgezeichneten Überblick bei Klauck, Hausgemeinde 21-47; ferner Becker, Paulus 255-270 ("Die Missionsgemeinden als Hausgemeinden").

[25] So auch Becker, aaO. 256.269; Hainz, Ekklesia 346.

[26] Eine detaillierte Exegese bietet Chapple, Leadership 393-445.

[27] Zu den $\sigma\upsilon\nu\varepsilon\rho\gamma\iota$ des Paulus vgl. bes. Ollrog, Paulus 63-92.

[28] Vgl. Jewett, Phoebe 148f; Chapple, Leadership 223f; Chow, Patronage 101.

[29] Eine eingehende Exegese der Stelle bei Chapple, aaO. 206-260.

Verfestigung ist hier nur etwas weiter fortgeschritten.[30] Natürlich wäre es hier nötig, zu differenzieren und im einzelnen Begründungen zu liefern;[31] immerhin dürfte dieser kurze Überblick doch deutlich machen, daß es in verschiedenen Paulusgemeinden Führungsgestalten gibt, die zwar keine festen Titel und Ämter besitzen, wohl aber ähnliche Funktionen und persönliche Voraussetzungen aufweisen.[32] Es handelte sich wohl immer um Personen, die relativ gutsituiert waren und ihr Haus, ihr Geld oder ihren Einfluß für die Gemeinde einsetzten; Paulus (und in der Regel auch die Gemeinden) erkannte ihnen eine gewisse (nicht die einzige) Leitungsfunktion zu. Der Terminus προϊστάμενος erscheint auch in der Charismenliste von Röm 12,6-8; vermutlich ist diese Funktion in der Liste von 1 Kor 12,28-30 unter "Hilfeleistungen (αντιλήμψεις)" und "Leitungsaufgaben (κυβερνήσεις)" mitgemeint.[33] Wir stehen hier aber bereits bei der Frage nach Ämtern, die im nächsten Paragraphen behandelt wird.

Die genannten Personen erfüllten demnach die Funktion von Patronen.[34] Drei Besonderheiten seien aber hervorgehoben:

(1) Es begegnet bei Paulus keine Patronatsterminologie; daß es sich um Patrone handelt, müssen wir erschließen.

(2) Die Wohltäter der Gemeinden waren reguläre Gemeindemitglieder, nicht eine Art Ehrenmitglieder wie die Vereinspatrone;[35] sie waren persönlich im Leben der Gemeinde engagiert (Röm 12,8: "ἐν σπουδῇ").[36] Deshalb gibt es hier auch keine klare Unterscheidung von Patronen und Amtsträgern.

---

[30] Vgl. Hainz, Ekklesia 347; Holmberg, Paul 101f; Ollrog, Paulus 86; Chapple, aaO. 589 (Chapple favorisiert allerdings die alte Deutung von F.Chr. Baur, die Episkopen seien Leiter der einzelnen Hausgemeinden, die Diakonen seien ihre Assistenten).

[31] Insbesondere die Bezeichnung der Phoebe als διάκονος und die Episkopen und Diakone von Phil 1,1 sind ja sehr umstritten.

[32] So auch Holmberg, Paul 100; Chapple, Leadership 258f.419.434.439.589f. Zum Dienst von Phoebe und Stephanas vgl. Theißen, Schichtung 249f.

[33] Ähnlich Hainz, Ekklesia 346; Chapple, aaO. 419.

[34] So auch Marshall, Enmity 145; Moxnes, Integration 105.

[35] Vgl. o. § 5,1.

[36] Schon v. Dobschütz hat 1909 eine Liste ihrer Tätigkeiten für die Gemeinde zusammengestellt, die diesen Unterschied deutlich macht (vgl. bes. die Tätigkeiten 3-5!): "(1) Hergeben des Lokals für die Gemeindeversammlung, (2) vielleicht Herstellung der nötigen Ordnung dabei, (3) Vorbeten, (4) Vorlesen, (5) Vorsingen, (6) Gewährung von Unterkunft und Unterhalt für zureisende Brüder, (7) von Unterstützung für Arme, (8) Stellung von Kaution (...), (9) Vertretung vor Gericht (Patronisieren!), (10) gelegentlich vielleicht eine Reise im Interesse der Gemeinde, kurz alle Pflichten, die später dem Vorsteher, dem Bischof zufielen, aber alles als freiwillige Leistung, ohne rechtlichen Auftrag, ohne gehaltsmässige Vergütung" (zitiert nach Holmberg, Paul 102).

(3) Die Patrone waren in den Gemeinden erstaunlicherweise nicht immer anerkannt. Eine Mahnung, den Patron hochzuschätzen, wäre für Vereinsmitglieder völlig überflüssig, ja unverständlich gewesen: Es gehörte zum Wesen der Klientelbeziehung, daß dem Patron für seine Großzügigkeit Ehre erwiesen wurde. Über Grad und Gründe der Opposition in der korinthischen Gemeinde läßt sich nichts Sicheres sagen. Es ist aber unwahrscheinlich, daß Gegensätze zwischen verschiedenen Patronen den Hintergrund bildeten.[37] Die Begründung, die Paulus für die Forderung der Unterordnung gibt, schließt ja andere mit ein, die sich in gleicher Weise, d.h. unter Einsatz ihres Besitzes und ihrer sozialen Stellung, für das Evangelium und die Gemeinde engagieren.[38] Näher liegt die Vermutung, daß der Grund in der unmittelbaren Beteiligung der "Patrone" am Gemeindeleben liegt, denn ein ähnliches Problem gab es ja offenbar in Thessalonich. Im Verein konnte man dem Patron leichter Ehre erweisen, weil sich seine Leitungsfunktion in engen Grenzen hielt.[39] In der Gemeinde machte vielleicht gerade die Vermischung von Patronats- und Leitungsfunktion Probleme.

2.2 Die Gemeinde von Korinth

2.2.1 Die Parteien (1 Kor 1-4)

Die Entstehung der in 1 Kor 1-4 bezeugten Gruppierungen kann man mit sehr verschiedenen Faktoren zu erklären versuchen: theologischen, kulturellen, psychologischen, gruppendynamischen und anderen. Wir erfahren über diese Parteien so wenig, daß keiner dieser Zugänge für sich *die* Lösung beanspruchen kann; es bleibt nichts anderes übrig, als sich von verschiedenen Seiten an dieses Phänomen heranzutasten. Auch soziologisch orientierte Versuche haben deshalb ihr Recht.

So sieht Clarke den Kern der Spaltungen im Personenkult der Korinther: "Ich gehöre zu Paulus, ich zu Apollos, ich zu Kephas" (1 Kor 1,12) bedeute,

---

[37] Dies vermutet Chow, Patronage 97f: Es könnte sein, "that those who despised Stephanas also despised Paul and that the despisers of Stephanas were people who did not appreciate the value of toil and labour. Should we then look for these people among the powerful patrons in the church?" - Die Verbindung von Mühe und Arbeit des Stephanas mit dem Unterhaltsverzicht des Paulus, die hier vorausgesetzt wird, ist weit hergeholt.

[38] Man kann 1 Kor 16,16 auf zwei Weisen übersetzen: 1. "Ordnet euch solchen Leuten (=diesen und anderen, die das gleiche tun) unter und jedem, der mitarbeitet und sich abmüht (sc. für das Evangelium und die Gemeinde)!" 2. "Ordnet euch solchen Leuten (=Stephanas und seinem Haus, weil sie den Heiligen dienen) unter und jedem, der (sc. bei ihnen) mitarbeitet und sich abmüht!" Die 1. Übersetzung scheint mir wegen der terminologischen Übereinstimmung mit ähnlichen Stellen (vgl.o.) wahrscheinlicher; auch im 2.Fall wären aber indirekt andere "Patrone" miteingeschlossen.

[39] Vgl.o. § 5,1.

jedes Gemeindemitglied berufe sich auf seine besondere Zugehörigkeit zu dem, der es getauft hat. Soweit ist das nichts Neues. Entscheidend ist für Clarke aber - im Unterschied zu anderen Deutungen - nicht, daß mit der Taufe (nach Art von Mysterieninitiationen) zwischen Täufer und Täufling eine mystische Beziehung in Gang kommt, sondern daß ein Patron-Klient-Verhältnis entsteht.[40] Die Parteien sind für Clarke also in Wirklichkeit verschiedene Klientelen: Der jeweilige Missionar wird zum Patron, und jede Klientel will vom Status ihres Patrons zugunsten des eigenen Status profitieren. - Gegen diesen Ansatz ist einzuwenden: Daß die Taufe für die Spaltung eine entscheidende Rolle spielte, ist schon deshalb unwahrscheinlich, weil Paulus eben nur sehr wenige getauft hatte (1 Kor 1,14-17) und eine so begründete Pauluspartei deshalb schwer zu erklären wäre.[41] Auch wenn man an andere Begründungen von Zugehörigkeit denkt,[42] ist diese Deutung aber nicht überzeugend. Weder Paulus, der sich selbst versorgte, noch andere Missionare, die sich von der Gemeinde versorgen ließen, konnten von der Gemeinde als Patrone angesehen werden. Zum Patronat gehörte eine nicht nur geistliche Fürsorge. Das Auftreten der Missionare paßt nicht in dieses soziale Muster.

Besser begründet ist die Auffassung Theißens. Obwohl auch er an die Taufe als Grund einer besonderen Beziehung zu den genannten "Parteihäuptern" denkt, ist seine Deutung hiervon nicht abhängig.

> "Gesichert ist (..) nur, daß sich die Gruppierungen in einem besonderen Verhältnis zu ihrem Apostel ~~~~~~ Wer ~~~~~ in ~~~~~ Gemeinde in ein besonderes Verhältnis zu umherziehenden Aposteln? An erster Stelle doch wohl diejenigen, die den Missionaren Unterkunft und Unterhalt boten. (...) Niemand wollte natürlich sein Geld für einen Missionar zweiter Klasse ausgegeben haben. Daher hielt man jeweils den Missionar für den bedeutendsten, den man selbst unterstützt hatte (und von dem man gewiß auch theologisch beeinflußt war). War aber der Missionar bedeutend, so durften sich auch seine Anhänger in der Gemeinde für bedeutend halten. Der Streit zwischen den verschiedenen Parteien könnte daher ein Gerangel um die innergemeindliche Prestigeskala gewesen sein."[43]

Die Unterstützer der Missionare sieht Theißen sicher zu Recht in den bessergestellten Christen wie Gaius, Krispus, Stephanas. Er nimmt also faktisch, anders als Clarke, kein Prahlen der Klienten mit ihren Patronen, sondern um-

---

[40] So Clarke, Leadership 92f. Daneben nennt er noch andere Beziehungsformen, die als Analogien in Frage kommen: das Schüler-Lehrer-Verhältnis und die Beziehungen innerhalb einer politischen Gruppierung (aaO. 93f).

[41] Mit Schrage, 1 Kor I,149 (dort noch weitere Argumente in dieser Richtung).

[42] Clarke bezeichnet die Taufe als *eine* Möglichkeit, in Patronatsbeziehungen einzutreten (Leadership 92), nennt aber keine Alternativen.

[43] Theißen, Legitimation 227.

gekehrt eines der Patrone mit ihren Klienten an (wobei freilich Theißen diese Termini nicht verwendet). Daß die soziale Stellung der Klientel den Status des Patrons beeinflußt, hat sich auch bei unserem Überblick über Vereine gezeigt, und daß Leute wie Stephanas in der Gemeinde eine Art Patronat ausübten (in Bezug auf Missionare allerdings nur in einem eingeschränkten Sinn), hat sich im letzten Punkt herausgestellt. Dennoch bringt auch der Entwurf Theißens eine Schwierigkeit mit sich. Paulus legt ja in 1 Kor 4,12; 9,15; 2 Kor 11,9 Wert auf die Feststellung, daß er von der Gemeinde keinen Unterhalt annahm. Also kommt höchstens Unterkunft in Frage. Wie sieht es damit aus? Nach Apg 18,3 wohnte er in der Gründungsphase bei Priska und Aquila, allerdings im Rahmen gemeinsamer Erwerbstätigkeit; erst bei einem späteren Aufenthalt wohnte er bei Gaius (Röm 16,23).[44] Pauluspatrone im Sinne von Gastgebern sind deshalb in der Gründungsphase schwer vorstellbar; damit wird aber wiederum eine Pauluspartei unwahrscheinlich.

Mit dem Gesagten soll nicht ausgeschlossen werden, daß soziale Faktoren, insbesondere Status- und Loyalitätsfragen, im Parteienstreit insofern mitspielten, als sie für die *Zusammensetzung* der Parteien wichtig waren. So könnte die Pauluspartei sich "aus den Paulusgetreuen, den Männern und Frauen der ersten Stunde (formiert haben, Th.Sch.), als ihre Antwort auf das Entstehen der anderen Gruppen und deren Bestreben, den Anspruch des Paulus als Gemeindegründer und Gemeindeleiter (...) abzuschütteln";[45] hier wäre ebenfalls Status im Spiel, allerdings nicht der von Patronen und Klienten. Der Grund für die *Entstehung* der Parteien dürfte aber nicht in sozialen, sondern doch eher in religiösen und theologischen Faktoren zu suchen sein.[46]

2.2.2 Der Unzuchtsünder (1 Kor 5)

Wie so oft in den Paulusbriefen, ist auch hier die genaue Rekonstruktion der Situation in der Gemeinde schwierig, wenn nicht unmöglich. Klar dürfte nur sein: Ein Gemeindemitglied hat ein zumindest ehe*ähnliches* Verhältnis mit seiner Stiefmutter, ohne daß die Gemeinde etwas dagegen unternimmt. Alles andere ist offen. Manche Fragen tragen für die Situation nicht viel aus, so, ob es sich um Konkubinat oder Ehe handelte - beides war in einer solchen

---

[44] Apg 18,7 meint eine Verlegung nur des Versammlungsorts, nicht der Wohnung in das Haus des Titius Iustus.

[45] Klauck, 1 Kor 21.

[46] Mit Schrage, 1 Kor I,150-152, der als Primärursache die "Weisheitsfaszination" der Korinther annimmt, und Conzelmann, 1 Kor 52, der auf die "pneumatische Erhöhungs-Christologie" verweist.

Konstellation nach römischem Recht strafbar.[47] Interessanter ist die Frage nach den Motiven. Natürlich könnte es sich einfach um eine Liebesbeziehung handeln. Zusätzlich kommen aber finanzielle Motive in Betracht.[48] Auf Seiten des Mannes könnte es um das Erbe des Vaters gehen. Durch die Verbindung mit der Stiefmutter würde er einerseits sofort vollen Zugang zu diesem Erbe erhalten, andererseits den Übergang des Erbes in eine andere Familie verhindern, der aus einer Wiederheirat seiner Stiefmutter resultieren würde. Auf Seiten der Frau könnten die auf Augustus zurückgehenden Ehegesetze eine Rolle spielen, die einer verwitweten Frau bei Kinderlosigkeit nur 1/10 des Erbes ihres Mannes zusprachen. Beide Überlegungen benötigen allerdings Zusatzannahmen, die wir nicht nachprüfen können: der Vater müßte verstorben und nicht nur geschieden sein; die Stiefmutter müßte kinderlos geblieben sein. Ersteres ist wahrscheinlich,[49] letzteres nur möglich. Immerhin dürfte eine weitere Beobachtung dafür sprechen, daß finanzielle Motive in dieser Familie eine Rolle spielten: Obwohl eine solche Verbindung als Inzest verboten war, war gegen das Paar ja offensichtlich bisher kein Gerichtsverfahren angestrengt worden. Im griechisch-römischen Gerichtswesen war es aber für vermögende und einflußreiche Leute wesentlich einfacher, Anklagen und Verurteilungen zu entgehen, als für Arme.[50] Sofern es sich tatsächlich um einen relativ hochstehenden Mann handelte, hätten auch andere Gemeindemitglieder ihn nur schwer verklagen können.

Hier stellt sich aber die Frage: Warum wurde er dann nicht wenigstens aus der Gemeinde ausgeschlossen? In den bereits in der Einleitung dieser Arbeit genannten Dissertationen wird übereinstimmend die Antwort gegeben: Weil es sich um einen Patron handelte. Seine Klientel war mit seinem Verhalten nicht unbedingt einverstanden, hielt ihm aber loyal die Stange[51] bzw. drückte ein Auge zu, um ihren Wohltäter nicht zu verlieren.[52]

So einleuchtend diese Erklärung zunächst klingt, ist sie doch wenig überzeugend. Beide Autoren nehmen ja an, daß es in der Gemeinde nicht nur diesen einen Patron gab, sondern die Gemeinde in mehrere Klientelen aufgeteilt war. Es wäre nun doch unter dieser Annahme merkwürdig, hätten sich ande-

---

[47] Vgl. Clarke, Leadership 77f.
[48] Vgl. dazu Clarke, aaO. 81f; Chow, Patronage 137f.
[49] Zu Recht bemerkt Chow, aaO. 138 Anm.2: "(...) given the fact that the father was given enormous power over the son in those days (...), it is difficult to conceive that the son could have his way if the father was still alive."
[50] Vgl. dazu u. § 10,2,1.
[51] So Chow, Patronage 140.
[52] So Clarke, Leadership 85f.

re Patrone oder Klientelen diese Chance entgehen lassen, den eigenen Status aufzubessern, indem sie die Immoralität dieses Mannes geißelten und seinen Ausschluß forderten. Zudem hätten gleichgestellte Patrone ihn ja wohl auch gerichtlich belangen können. Nichts davon ist aber in 1 Kor 5 zu entdecken, vielmehr gibt es unter den im Brief Angesprochenen in *dieser* Hinsicht keinen Zwist: Sie sind aufgeblasen (V.2) und voll Selbstlob (V.6).

Zudem wäre zu klären, wie die zuletzt genannten Phänomene zu verstehen sind: Ist die Gemeinde eingebildet *trotz* oder *wegen* des Unzuchtsünders in ihrer Mitte? Wird sein inzestuöses Verhältnis also toleriert, weil er eben Patron ist,[53] oder geradezu gepriesen - dies dann wohl aus anderen Gründen? Daß die Gemeinde in der moralischen Freizügigkeit dieses Mannes ein vorbildliches Verhalten sah, daß also die zweite Möglichkeit zutrifft, ist durchaus denkbar. Er selbst vollzog das, was in den Augen des Paulus und der gesamten Umwelt πορνεία war, möglicherweise bewußt ἐν τῷ ὀνόματι τοῦ κυρίου [ἡμῶν] Ἰησοῦ; man muß nur den Anfang von V.4 mit V.3 zusammenziehen, um auf ein solches Verständnis zu stoßen.[54] Die Gemeinde konnte nach dem Bild, das sich aus 1 Kor von ihr ergibt (bes. 6,12!), sein Verhalten als Konsequenz der neuen christlichen Freiheit sehen, die die alten Normen hinter sich gelassen hat.[55]

Wir haben damit eine Erklärung für die mangelnde Distanzierung der Gemeinde von dem betreffenden Mitglied gefunden, die näher am Text bleibt und weniger Schwierigkeiten bietet als der Verweis auf seinen angeblichen Status als Patron.

2.2.3 Das Herrenmahl (1 Kor 11,17-34)

Ein letztes Phänomen in der korinthischen Gemeinde, bei dem das Verhältnis Patron-Klient eine Rolle spielen könnte, ist der von Paulus kritisierte Vollzug des Herrenmahls. Hier sind die Rekonstruktionsprobleme freilich noch weit größer als im letzten Punkt. In einem kurzen Durchgang durch die für uns entscheidenden Textteile skizziere ich zunächst die relevanten Fragen. Anschließend stelle ich drei wichtige Rekonstruktionen vor.

Die Einleitung (11,17-19) macht bereits die negative Einschätzung der Situation durch Paulus klar, zeigt aber auch, worauf sein Tadel sich bezieht: auf die Verbindung von Unvereinbarem, nämlich das Zusammenkommen als

---

[53] Vgl. Clarke, Leadership 77.87.
[54] So (vorsichtig) Schrage, 1 Kor I,372. Vgl. ders., aaO. 380 (zu 5,6): "Das verfehlte Rühmen (..) (wurde, Th.Sch.) wie das Aufgeblähtsein (V 2) möglicherweise durch den Inzestfall nur noch genährt".
[55] So Harris, Beginnings 6f.11.14; als Vermutung auch bei Klauck, 1 Kor 42.

Gemeinde einerseits, die Existenz von Spaltungen und Parteiungen andererseits. Der Gemeinschaftsgedanke ist gefährdet. Daß es sich dabei um Zeichen der Endzeit handelt (V.19), macht die Sache nicht besser.[56] In V.20f erfahren wir einiges über die Situation in Korinth: Es gibt kein *Herren*mahl (κυριακὸν δεῖπνον) mehr, weil jeder sein *eigenes* Mahl (ἴδιον δεῖπνον) vorwegnimmt (προλαμβάνει) und daraus Unterschiede im Grad der Sättigung entstehen. Wie ist das zu verstehen? Man könnte zunächst vermuten, jedes Gemeindemitglied brachte zu einem Sättigungsmahl, das dem Herrenmahl vorausging, die eigene Portion mit; die mit dem Herrenmahl unvereinbaren Unterschiede ergaben sich daraus, daß manche viel, andere wenig mitbrachten. Dazu würde auch V.22a zur Not noch passen: Jeder soll einfach zu Hause essen und trinken. Damit wären die Unterschiede zwar nicht aufgehoben, aber weniger manifest. Die eigentlichen Probleme beginnen aber mit V.22b. Angesprochen sind hier eindeutig nicht mehr alle bzw. "jeder", sondern nur ein Teil der Gemeinde, nämlich der, der sich von den übrigen durch Besitz unterscheidet und diese in einer Weise behandelt, die als Verachtung gedeutet werden kann und von Paulus getadelt wird. Da in V.22b nichts auf einen Adressaten*wechsel* hindeutet, müssen dieselben Leute schon in V.22a gemeint sein. Das legt ein etwas anderes Verständnis dieses Versteils nahe. Da es sich um bessergestellte Kreise handelt, wird man doch wörtlicher übersetzen dürfen: "Habt ihr keine Häuser zum Essen und Trinken?" (anstelle von: "Könnt ihr nicht zu Hause essen und trinken?"). Auch V.21 stellt sich dann etwas anders dar. Nur der Betrunkene gehört doch wohl zum Kreis der Adressaten, der Hungernde dagegen zu den Habenichtsen von V.22b. Wie soll man von daher das "jeder" in 21a verstehen? Es gibt ja nun immerhin die Möglichkeit, es nur auf die bessergestellten Adressaten zu beziehen ("jeder von euch"). Bringen also vielleicht nur die Wohlhabenderen Speisen mit? Und nehmen vielleicht nur sie das "eigene Mahl" vorweg? Erweitert werden diese Anfragen durch V.33f: Hier sind ja (zumindest primär) dieselben Personen angesprochen (sie haben ein Haus und etwas zu essen), auch wenn die Anrede ganz allgemein ist. Wenn sie zum Warten auf die anderen aufgefordert werden - könnte das nicht mit dem "Vorwegnehmen" zu tun haben? Und hieße das nicht, sie nehmen etwas, das zum gemeinsamen Herrenmahl gehört, in ihren Privatmählern vorweg? Dann wäre der Vorwurf des Paulus nicht, daß ein gemeinsames, aber verschieden reichhaltiges Sättigungsmahl

---

[56] Anders wird V.19 von Campbell, Paul pass., verstanden, der übersetzen will: "For there actually has to be discrimination in your meetings, so that if you please the elite may stand out from the rest" (70).

dem Herrenmahl vorausgeht, sondern daß nur manche ein Sättigungsmahl vor dem allen gemeinsamen Herrenmahl abhalten. Aber läßt sich diese Deutung mit dem Wortlaut von V.21 vereinbaren?

Einige der am meisten umstrittenen Punkte sind damit zur Sprache gekommen. Das Hauptproblem liegt darin, ob man an dem nächstliegenden, wörtlichen Verständnis von V.21 festhält und V.22.33f damit zu verbinden versucht, oder ob man von V.22.33f ausgeht und ein dazu passendes Verständnis von V.21 findet. Es gibt auch Zwischenlösungen.

Eine wichtige Deutung hat G. Bornkamm entwickelt.[57] Sie wurde besonders in einem Punkt einflußreich: Bornkamm nimmt an, daß die bessergestellten korinthischen Christen früher mit dem Sättigungsmahl begannen als die ärmeren; "unter den Minderbemittelten und lieblos Zurückgesetzten sind vor allem die kleinen Leute, die am Abend sich nicht so leicht aus ihrer Arbeit lösen können, also sicher vor allem Sklaven, die nicht Herren ihrer Zeit sind und zu spät kommen, ohne daß die Bemittelten Rücksicht auf sie nehmen".[58] Die Feier des sakramentalen Herrenmahls stand als Höhepunkt am Ende einer Mahlzeit, "bei der man zusammen aß, was jeder nach Vermögen dazu beigesteuert hatte".[59] Weil der Höhepunkt am Schluß stand und daran tatsächlich alle, auch die inzwischen dazugekommenen Armen, teilnehmen konnten, hatte man unter den Reicheren keine Skrupel, zuvor im kleinen und sozial homogenen Kreise zu speisen. Paulus nahm diese faktische Trennung von Mahl und Feier nicht hin: Den ärgsten Hunger konnte man zu Hause stillen; ansonsten sollte das Mahl gemeinsam eingenommen werden und mit der sakramentalen Feier verbunden sein.[60]

Fraglich an dieser Rekonstruktion ist vor allem die Annahme, die sakramentale Feier habe ihren Ort am *Ende* des gemeinsamen Mahls gehabt. Dies stünde ja eindeutig im Gegensatz zur Herrenmahlparadosis, wo *zwischen* Brotwort und Becherwort ein "δειπνῆσαι" (11,25) erwähnt wird. Paulus kann m.E. diese Formel nicht wiederholen, ohne vorauszusetzen oder einzuschärfen, daß die Gemeinde sich an die darin enthaltene Abfolge hält bzw. halten muß.[61] Zum anderen ist bei Bornkamm nicht klar, wie denn alle etwas zum

---

[57] Bornkamm, Herrenmahl (Erstveröffentlichung 1956). Die meisten Elemente dieser Deutung vertritt auch Klauck, Herrenmahl 292-297.

[58] Bornkamm, aaO. 142.

[59] Ders., aaO. 143f.

[60] Vgl. ders., aaO. 144f.

[61] So auch Roloff, Kirche 105 mit Anm.48; Lampe, Herrenmahl 183f; Theißen, Integration 298f.

Sättigungsmahl beisteuern können, wenn sie doch z.T. überhaupt erst danach eintreffen.[62]

G. Theißen kommt in einem soziologisch orientierten Ansatz [63] vor dem Hintergrund der nichtchristlichen Mahlpraxis zu anderen Ergebnissen, die er so zusammenfaßt:

"Einige reichere Christen ermöglichten durch ihre Spenden das Gemeinschaftsmahl, das für alle Brot und Wein vorsah. Durch die Herrenworte wurden diese Spenden als Eigentum des Herrn deklariert und der Gemeinde zur Verfügung gestellt. Neben diesem Gemeinschaftsessen konnte deshalb ein 'eigenes Mahl' stattfinden, weil der Beginn des Herrenmahls nicht geregelt war und bis zu diesem Beginn (d.h. bis zu den Einsetzungsworten) die mitgebrachten Spenden privates Eigentum waren, vor allem aber deswegen, weil die reicheren Christen über Brot und Wein hinaus noch eine Zukost aßen, deren Verteilung an die Gemeinschaft in den Einsetzungsworten gar nicht vorgesehen war".[64]

Das gemeinsame Mahl, das nur aus Brot und Wein besteht, wird also nicht von allen, sondern von einigen reicheren Christen zur Verfügung gestellt, die selbst aber bereits früher zu tafeln beginnen und mehr und Besseres zu essen haben als die übrigen. Die Stellungnahme des Paulus ist für Theißen "ein gutes Beispiel für das in den paulinischen Gemeinden sich herausbildende Ethos urchristlichen Liebespatriarchalismus, das uns am reinsten in den Haustafeln der Deuteropaulinen entgegentritt".[65] Paulus fordert nämlich nicht, über Brot und Wein hinaus auch die Zukost (Fleisch, Fisch etc.) gleichmäßig zu verteilen, also ein wirkliches Gemeinschaftsmahl zu halten, sondern nur, die sozialen Gegensätze nicht in der Gemeinde zu demonstrieren, sprich: die besseren Mähler auf den häuslichen, privaten Bereich zu beschränken.[66]

Ein Teil dieser These beruht auf der sehr wackligen Annahme, προλαμβάνει (V.21) habe hier die Bedeutung von "einnehmen, zu sich nehmen",[67] so daß in V.21 nicht nur der frühere Beginn, sondern auch die besondere Menge und Qualität des Essens der Reicheren, des ἴδιον δεῖπνον, angesprochen sei.[68] Hier stützt sich Theißen auf einen einzigen Beleg, während προλαμβάνω sonst offenbar durchweg zeitliche Konnotation hat.[69] Zudem ist es ein unbegründetes Postulat, die Überführung der privaten Nahrungsmittel

---

[62] Richtig Klauck, Herrenmahl 293: ἕκαστος steht unpräzis für "jeder, der dazu imstande ist" und meint nur die Wohlhabenderen; ähnlich Theißen, aaO. 294.

[63] Theißen, Soziale Integration und sakramentales Handeln (Erstveröffentlichung 1974).

[64] Ders., aaO. 307.

[65] Ders., aaO. 312.

[66] So auch Klauck, Herrenmahl 294.

[67] So offenbar auch Roloff, Kirche 105.

[68] So Theißen, Integration 300.

[69] Vgl. die Überprüfung der Belege bei Lampe, Herrenmahl 191 Anm.28; ferner Klauck, Herrenmahl 292 mit Anm.39.

in Gemeinschaftseigentum an den Zeitpunkt und Inhalt der Einsetzungsworte zu binden - warum sollte diese Stiftung nicht früher und umfangreicher statt-finden, wie das ja auch aus Vereinen belegt ist? Schließlich ist auch nicht vorstellbar, daß die ärmeren Korinther allein mit Brot und Wein ein δεῖπνον hielten und so der Herrenmahlparadosis entsprachen. Zu einem abendlichen δεῖπνον gehörte über Brot hinaus normalerweise Zukost.[70]

Als letzte [71] bespreche ich eine relativ neue Deutung von P. Lampe,[72] die durch Materialreichtum besticht. Auch hier beginnen die Reicheren ihr Essen früher, und zwar nach der Sitte des ἔρανος, d.h. so, daß jeder etwas dazu beiträgt. Sie "interpretieren ihr 'Voressen' (...) als regelrechtes δεῖπνον (cena/primae mensae; cf. 1 Kor 11,21a) unter sozial mehr oder weniger gleichgestellten Freunden. Zur Pause zwischen primae und secundae mensae, also zwischen cena/δεῖπνον und comissatio/συμπόσιον, treffen die sozial niedrigeren Christen ein".[73] Diese secundae mensae, der Nachtisch, gelten nun als das sakramentale Herrenmahl. Die ärmeren Christen können nicht viel mitbringen, von dem ἔρανος der Reicheren ist aber nicht mehr genug für alle übrig. Die Situation der später dazugekommenen Christen wird dadurch noch verschlechtert, daß sie im eigentlichen Speisezimmer (triclinium), wo die Reicheren schon seit längerem tafeln, keinen Platz mehr finden und sich nur noch im Atrium oder Peristyl niederlassen können. Paulus dagegen will, daß das Mahl nicht aufgeteilt wird, sondern daß erst nach Eintreffen aller das Sättigungsmahl, das zugleich Herrenmahl ist, begonnen wird; zuvor darf höchstens der einzelne seinen schlimmsten Hunger lindern, um auf die Mitchristen warten zu können.

Die mit dieser Rekonstruktion verbundenen zahlreichen Belege zur übli-chen Mahlpraxis (z.B. zur Unterscheidung zwischen primae und secundae mensae) sind zwar hochinteressant, für die Situation in Korinth aber m.E. kaum relevant. Die beiden größten Schwierigkeiten sind: 1. Warum sollten alle ärmeren Christen gerade zur Pause zwischen Hauptgericht und Nachtisch eintreffen? Man darf ja nicht heutige deutsche Verhältnisse voraussetzen, wo es feste Ladenschlußzeiten und geregelte Schichtarbeit gibt. Viel wahrschein-licher ist doch, daß die Ärmeren nach und nach eintrafen und daß, wenn schließlich alle da waren, mit dem Herrenmahl begonnen wurde. 2. Lampe

---

[70] Vgl. Lampe, aaO. 204f.
[71] Ich übergehe die These von Hofius, Herrenmahl bes. 384-391, die wesentlich von dem m.E. unhaltbaren Verständnis von προλαμβάνειν (V.21) als "einnehmen" und ἐκδέχεσθαι (V.33) als "annehmen, gastlich aufnehmen, bewirten" abhängt.
[72] Lampe, Herrenmahl (1991).
[73] Ders., aaO. 198.

weist zwar zu Recht darauf hin, daß der Nachtisch nicht immer süß war, sondern z.B. "Gebäck, Obst, Gemüse, verschiedene Fleischsorten und Meeresfrüchte"[74] enthalten konnte. Dennoch gab es natürlich zu den "Zweittischen" andere Speisen als zum Hauptgang. Damit wird aber Lampes Rekonstruktion unmöglich. Er übersieht nämlich, daß die Reicheren, die ihm zufolge zwar nicht allein, aber im wesentlichen das Essen bereitstellten, für den Nachtisch sicher anderes mitgebracht hätten als das, was sie zuvor schon unter sich verspeisten. Bei Eintreffen der Ärmeren zu den secundae mensae müßten dann ja neue Speisen bereitstehen. Mit seiner These ist also die Annahme nicht vereinbar, daß vom ἔρανος der Reicheren nicht mehr genug übrig war, um alle satt zu bekommen, denn das setzt voraus, daß das Hauptessen einfach weiterging.

Damit komme ich zu einer eigenen Rekonstruktion, die aus den genannten Schwierigkeiten zu lernen versucht. Es gab wohl tatsächlich einen kleinen Kreis von reicheren Christen, die bereits nachmittags "unter sich" mit ihrem Sättigungsmahl begannen. Sie brachten aber das Essen für die ganze Gemeinde mit, waren also Patronen oder Amtsträgern in Vereinen ähnlich. Die nach und nach dazukommenden ärmeren Christen bekamen zwar daran Anteil, vermutlich allerdings in anderen Räumen und damit auf weniger ehrenvollen Plätzen. Nur die zuletzt Kommenden hatten davon nichts mehr, denn gleich nach ihrem Eintreffen, d.h. bei Vollständigkeit der Gemeinde, begann mit dem Brotwort das Herrenmahl. Die Mahlzeit zwischen Brot- und Becherwort hatte nun für die Teilnehmer ganz verschiedenen Charakter: Für die "Patrone" war es ein sakramentales Mahl, das nicht mehr zur Sättigung diente und deshalb eher symbolisch ausgestattet wurde (wenn auch kaum nur mit Brot und Wein), für einen Teil der anderen war es zugleich ihre Hauptmahlzeit, die nur eben zu spärlich bestückt war.

Die Stellungnahme des Paulus verstehe ich wie Bornkamm und Lampe: Paulus kritisiert die Spaltung in der Gemeinde, die durch die Trennung von Sättigungs- und Herrenmahl entsteht und die sich an den sozialen Unterschieden orientiert. Er will also nicht nur, wie Theißen es sieht, die *Manifestation* solcher Unterschiede verhindern. Die Aufforderung in V.33: "Wartet aufeinander!", muß sich auf das Mahl beziehen, das die Reicheren üblicherweise begannen, ohne zu warten; es geht also um das Sättigungsmahl. Das Zugeständnis in V.34 kann deshalb nur eine kleine Stärkung meinen, die das Warten auf die eigentliche Sättigung ermöglichen soll. In diesem Fall kann von "Liebespatriarchalismus" nicht die Rede sein. Es geht nicht darum, status-

---

[74] Ders., aaO. 200.

entsprechendes Verhalten (hier: festliches Tafeln unter Gleichgestellten) auf den privaten Bereich (die eigenen Häuser) zu begrenzen, um die Manifestation von Statusunterschieden in der Gemeindeversammlung zu minimieren. Es geht vielmehr um einen Verzicht auf solches Verhalten (zumindest an den Tagen, an denen in der Gemeinde das Herrenmahl gefeiert wird). Sättigungs- und Herrenmahl sollen eine Einheit bilden, an der alle teilnehmen und bei der die Ungleichheit sich darauf beschränkt, daß die Reicheren das Essen für alle mitbringen.

Wie stellen sich nun die kritisierten Verhaltensweisen und die paulinische Alternative im Kontext des üblichen Sozialverhaltens der Zeit dar? Sowohl Lampe wie Theißen verweisen auf vielfältige Parallelen, die freilich z.T. ihre Rekonstruktion voraussetzen (bzw. stützen sollen). Zunächst zum Beginn des Mahls "unter sich" und dem späteren Dazukommen anderer: Daß neue Gäste "zu bereits auf Touren gekommenen Trinkgesellschaften hinzu(stoßen, Th.Sch.)",[75] ist nichts Besonderes. Lampe zitiert ein diesbezügliches Sprichwort,[76] in dem allerdings von "Freunden", also von sozial Gleichgestellten, die Rede ist. Daß *Ärmere* dazukommen, ist wohl ein besonderer Zug. Schon deshalb ist es nicht naheliegend, die (ja auch nur zu vermutende) Unterbringung der späteren Gäste außerhalb des eigentlichen Speisezimmers mit der Sitte zusammenzubringen, daß "niedriger stehende Klienten (..) vom Patron im Atrium empfangen und abgefertigt (wurden)".[77] Diese Sitte hat mit Gastmählern nichts zu tun. Die gesonderte Unterbringung wird nicht mit einem "Abfertigen", sondern einfach mit den räumlichen Gegebenheiten zusammenhängen, auf die in anderem Zusammenhang Lampe selbst aufmerksam macht: "Ein kaiserzeitliches Triclinium bietet höchstens 9-12 liegenden Personen Platz".[78] Ein weiterer Punkt ist die Versorgung der Tischgesellschaft mit Speisen. Hier gibt es in der Umwelt verschiedene Formen: 1. Einladungen, bei denen der Gastgeber für alles sorgte; 2. Mähler, zu denen jeder Gast etwas beisteuerte;[79] 3. speziell in Vereinen auch Mähler, bei denen ein oder mehrere Wohltäter die Speisen stifteten.[80] Die Situation in Korinth entspricht wohl der dritten Form. Vereinsmähler sind auch darin die

---

[75] Lampe, aaO. 198 Anm.44 (mit Belegen).

[76] Ders., aaO. 198 Anm.45: "Ἀκλητὶ κωμάζουσιν ἐς φίλων φίλοι" (Zenobius, Epitome 2,46).

[77] Ders., aaO. 201.

[78] Ders., aaO. 190.

[79] Diese Sitte des ἔρανος wird von Lampe gut belegt (aaO. 194-197); vgl. auch Klauck, Herrenmahl 293.

[80] Vgl. o. § 5,1 und 2.

nächste Parallele, daß dort Patrone und Amtsträger mit größeren Anteilen an den selbst bereitgestellten Gaben ausgezeichnet werden.[81] Dasselbe geschah ja faktisch, wenn auch nicht ausdrücklich, in der korinthischen Gemeinde. Dagegen kann man die in der Umwelt oft bezeugte und beklagte Sitte unterschiedlicher *Qualität* des Essens für die Gemeinde kaum in Anschlag bringen: Die Spender aßen in jedem Mahlabschnitt dasselbe wie die übrigen.[82]

Alles in allem war das korinthische Herrenmahl einem Vereinsmahl ähnlich, mit den Unterschieden, daß im Verein die Patrone normalerweise nicht teilnahmen und daß hier ein versetzter Mahlbeginn kaum denkbar war und m.W. auch nicht bezeugt ist. Das Verhalten der Wohltäter in Korinth läuft demnach auf einen Kompromiß hinaus: Sie separierten sich nicht völlig, integrierten sich aber auch nicht ganz.[83] Die Haltung des Paulus legt demgegenüber Wert auf eine vollständige Integration, die sich von der in Vereinen üblichen auch darin unterscheidet, daß er vermutlich an ein echtes Gemeinschaftsmahl ohne Staffelung der Portionen denkt.

3. Zusammenfassung und Auswertung

In paulinischen Gemeinden konnten wir an zwei Punkten *Ähnlichkeiten* zu Vereinspatronen entdecken: zum einen in der relativ breit bezeugten Erscheinung einer gutsituierten Führungsschicht, die der Gemeinde ihr Geld, ihr Haus oder ihren Einfluß zur Verfügung stellte und (insbesondere in ihrer Hausgemeinde) eine gewisse Leitungsfunktion innehatte; zum anderen in einigen Mitgliedern der korinthischen Gemeinde, die Speisen für das Herrenmahl spendeten, sich aber nicht völlig in das Gemeindemahl integrieren wollten; diese dürften ebenfalls zur erstgenannten Führungsschicht gehören. Die soziale Analogie zwischen Gemeinde- und Vereinspatronen besteht vor allem im Zusammenhang zwischen Dienst und Prestige: Nur Einsatz für die Gruppe führte zu gesteigertem Status.

Daneben fielen uns einige *Unterschiede* auf: 1. das Fehlen der üblichen Terminologie, 2. die intensive Beteiligung der Patrone am Gemeindeleben und 3. die Probleme der Patrone mit ihrer Anerkennung durch die Gemeinde. Diese drei Punkte seien noch etwas erläutert. Zur Terminologie: Der einzige Begriff, der in der Patronatssprache klar seinen Platz hat, ist bei Paulus προστάτις (Röm 16,2); im Kontext ist er hier aber allgemein als "Beistand"

---

[81] Vgl. o. § 5,2.

[82] Gegen Theißen, Integration 302-305; Chow, Patronage 111.

[83] Von einem Kompromiß spricht auch Theißen, aaO. 311; allerdings sieht dieser Kompromiß in seiner Sicht ganz anders aus, vgl.o.

zu verstehen.[84] Ansonsten verwendet Paulus für die patronale Führungsschicht Bezeichnungen wie συνεργοί (Röm 16,3.9), διάκονοι (Röm 16,1; 1
Kor 16,15; Phil 1,1) und κοπιῶντες (Röm 16,12; 1 Kor 16,16; 1 Thess
5,12), alles Termini, die in der Umwelt gerade nicht auf Leute mit besonde-
rem Status hindeuten würden.[85]

Dies hat unter anderem mit dem zweiten Punkt zu tun: Patron-Sein bedeutete in den paulinischen Gemeinden, anders als in Vereinen, nicht nur die
Erfüllung finanzieller Verpflichtungen oder die Vertretung der Gruppe nach
außen. Patrone übernahmen hier mühevolle, mit regelmäßiger Teilnahme
(z.B. an den Mählern) und persönlichem Einsatz verbundene Aufgaben. Deshalb kann man zwischen Patronen und Amtsträgern (oder besser: Funktionsträgern) kaum unterscheiden und ließe sich vieles von dem Besprochenen auch im nächsten Punkt unterbringen. Die Gemeindepatrone entsprachen
übrigens auch darin mehr den *Amts*trägern in Vereinen, als sich aus ihrer Tätigkeit kein gesamtgesellschaftlicher, sondern nur ein Statusgewinn innerhalb
der Gruppe ergab.[86] Es existieren m.W. keine frühchristlichen Inschriften,
die nach Art der Vereine die Gemeindepatrone öffentlich ehrten.

Mit dem persönlichen Engagement kommen wir zum dritten Punkt:
Patrone haben in Gemeinden schon einfach deshalb eine angefochtenere Stellung als in Vereinen, weil sie sich auf das konkrete Gemeindeleben mit seinen Konflikten einlassen. Es ist für die Gruppe leichter, einen Patron zu
ehren, der auf Distanz bleibt, als einen, der aufgrund seines Einsatzes eine
gewisse Leitungsfunktion beansprucht.

In § 7) hatten wir das Programm aufgestellt, weder unbesehen von Korinth auf andere Gemeinden noch vom Gemeindeideal des Paulus auf die Gemeindewirklichkeit zu schließen. Im Rückblick können wir nun vermuten,
daß - soweit das Patronat betroffen ist - in beiden Hinsichten das Gemeinsame überwiegt. Die Bezeichnungen aus den Wortfeldern Dienst, Mühe und
Arbeit, die Paulus für die Patrone verwendet, entsprechen ihrer tatsächlichen
Rolle; diese Rolle ist in den verschiedenen Gemeinden im wesentlichen dieselbe.[87] Die von Paulus gerügten Phänomene der Parteien und des Unzuchtsünders haben mit Patronen nichts zu tun. Lediglich die Mißstände beim

---

[84] Vgl.o. 1.
[85] Vgl. dazu Marshall, Enmity 145f.
[86] Dies gilt eingeschränkt offenbar auch für die Patrone der Synagogen: Auch hier hielten
sich die öffentlichen Ehrungen in Grenzen, obwohl ansonsten das Ethos des Euergetismus
weit deutlicher zu erkennen ist als in den frühchristlichen Gemeinden; vgl. dazu Rajak,
Archisynagogoi 87f.
[87] Vgl.o. 2.1.

Herrenmahl zeigen einen gewissen Gegensatz zwischen Paulus und der Gemeinde; auch hier sind aber die Positionen nicht so weit auseinander, wie aufgrund anderer Rekonstruktionen der Situation in Korinth oft angenommen wird. Von einer Kluft zwischen Paulus und der korinthischen Gemeinde bzw. zwischen dieser und anderen Gemeinden kann man in der Gestaltung des Patronats nicht sprechen.

§ 9) Funktionsträger der Gemeinde

Am Anfang dieses Paragraphen stehen wir der Schwierigkeit gegenüber, die Funktionsträger von Patronen abzugrenzen. Wäre (wegen des Engagements der in § 8 behandelten Personen in den Gemeinden) nicht auch folgende These vertretbar gewesen: In den Paulusgemeinden gab es keine Entsprechung zu Vereinspatronen, sondern allenfalls zu den Amtsträgern in Vereinen, die ja auch als Wohltäter auftraten? Mir scheint aber dennoch eine Unterscheidung zwischen beiden Gruppen auch in den Gemeinden berechtigt. Bei den als Patrone genannten Mitgliedern bestand die primäre Funktion nämlich in der Bereitstellung von Haus, Geld, Speisen usw.; erst sekundär wuchs ihnen, wesentlich stärker als den Vereinspatronen, dadurch eine Leitungsfunktion zu. Bei den jetzt zu behandelnden Personen ist dagegen die primäre Funktion ein nicht-materieller Einsatz für die Gemeinde.

Eine zweite Schwierigkeit ist die Auswahl aus den vielen Detailproblemen der paulinischen Gemeindeordnung. Ich beschränke mich auf die Aspekte, die sozialgeschichtlich relevant sind (und auf einige neuere Veröffentlichungen dazu): die Fragen nach dem Amtscharakter der Gemeindefunktionen und nach dem (vorausgehenden oder resultierenden) Status ihrer Träger.

1. Funktion und Amt

Die Paulusgemeinden lassen sich mit den Alternativen Funktion oder Amt, Charisma oder Institution nicht zutreffend beschreiben. Immer mehr setzt sich heute eine Sichtweise durch, die bei aller Flexibilität der paulinischen Gemeindestruktur doch auch Elemente einer beginnenden und gewollten Institutionalisierung entdeckt und beides ernst nimmt. Die Gemeindefunktionen werden nicht einfach je nach dem Wirken des Geistes, der weht, wo er will, von ganz verschiedenen Personen in unvorhersehbarem Wechsel wahrgenommen, sondern sie besitzen ein "Moment der *Stetigkeit und Verläßlichkeit*".[88]

---

[88] Roloff, Kirche 139 (Hervorhebung im Original).

Zumindest läßt sich beobachten, daß sie längerfristig von denselben Leuten ausgeübt werden, die in diesen Positionen von der Gemeinde anerkannt werden und ihr gegenüberstehen. Dessenungeachtet läßt sich von Ämtern im eigentlichen Sinn nicht sprechen, denn sie werden nicht nach einem feststehenden Verfahren übertragen und sind auch in ihren Rechten und Pflichten nicht einheitlich und verbindlich geregelt.[89]

Wenn also *amtsähnliche* Strukturen zu beobachten sind, stellt sich die weitere Frage nach einer Rangordnung. Schon die Charismenliste von 1 Kor 12,28 legt es nahe, eine Abstufung anzunehmen: es gibt durch göttliche Einsetzung "erstens Apostel, zweitens Propheten, drittens Lehrer"; die übrigen Charismen werden katalogartig angereiht. Wenngleich der Abbruch der Zählung einerseits Hinweis auf die Verwendung von Tradition sein dürfte,[90] so doch andererseits auch auf eine Rangfolge zweier Gruppen. Die Apostel waren übergemeindliche, missionierende Funktionsträger; deshalb ist es von vornherein naheliegend, daß sie für die von ihnen gegründeten Gemeinden die oberste Autorität darstellten. Paulus selbst sieht sein Apostolat jedenfalls als die notwendige Konkretisierung des Evangeliums, die an dessen Autorität teilhat.[91] In der Regel wurde ein solcher Anspruch von den Gemeinden auch akzeptiert. Die beiden anderen herausgehobenen Gruppen, Propheten und Lehrer, sind untereinander enger verwandt als mit den Aposteln, insofern es sich um innergemeindliche Autoritäten handelt, die also bestehende Gemeinden voraussetzen.[92] Die übrigen Funktionen sind den ersten drei zwar untergeordnet, teilen mit ihnen aber die Einsetzung durch Gott und den geistgewirkten Charakter des Charismas. Innerhalb dieser katalogartigen Liste kann man kaum mehr eine durchgängige Abstufung erkennen. Auffällig ist aber doch, daß nicht nur die Zungenrede am Ende der Aufzählung steht (wofür Paulus aktuellen Anlaß hatte), sondern auch die eigentlichen Leitungsfunktionen ($\kappa\upsilon\beta\epsilon\rho\nu\acute{\eta}\sigma\epsilon\iota\varsigma$). Hier konnten sich vermutlich nicht nur die Gemeindepatrone, sondern auch die wiederfinden, die ihre organisatorischen Fähigkeiten und Führungsqualitäten in den Dienst der Gemeinde stellten.

---

[89] Diese oder eine ähnliche Sicht der paulinischen Gemeindefunktionen vertreten Roloff, aaO. 138f; Baumert, Charisma 224-226; Hainz, Ekklesia 340f.349f; Holmberg, Paul 110-113.194f; Kertelge, Ort 202; Klauck, 1 Kor 93; Luz, Charisma 84-86; MacDonald, Churches 56f.60; Nardoni, Concept 74; vorsichtiger Becker, Paulus 192.450.

[90] Vgl. Kertelge, aaO. 195f.

[91] Vgl. Nardoni, Concept 78; Kertelge, aaO. 190f.

[92] Vgl. Holmberg, Paul 97-100. Kertelge, aaO. 193-196, sieht (in Anlehnung an und Abhebung von Harnack) sogar eine doppelte Amtsstruktur im gesamtkirchlichen Apostolat einerseits und den ortsfesten Propheten und Lehrern andererseits.

Zwischen den Aposteln und den lokalen Charismen gab es noch eine Gruppe von übergemeindlichen Mitarbeitern, die vor allem den Kontakt zwischen Paulus und den einzelnen Gemeinden aufrechterhielten.[93] Sie konnten dazu von Paulus (z.B. Timotheus [1 Thess 1,1; 3,2; 2 Kor 1,19], Titus [2 Kor 2,13; 7,5-16; 8,6.16-24], Silas [2 Kor 1,19; 1 Thess 1,1]) oder von den Gemeinden (Epaphroditos [Phil 2,25; 4,18]) bestellt werden. Die Grenze zwischen ihnen und innergemeindlichen Diensten ist fließend, wie die Beispiele des Stephanas (der Paulus wohl die Anfragen der Korinther überbringt [1 Kor 16,17]) und des Epaphroditos zeigen.

Alles in allem war die Struktur paulinischer Gemeinden vage. Diese Feststellung wird keineswegs in Frage gestellt, wenn man die Ausführungen in 1 Kor 12 nicht als eine Beschreibung sozialer Realität, sondern als eine Art Utopie versteht, in deren Richtung Paulus die Realität in Korinth verändern wollte.[94] Die Charismen stehen ja nicht *im Gegensatz* zu Gemeindeämtern; völlig zu Recht und für den heutigen Forschungsstand repräsentativ deutet Klauck diese Utopie vielmehr so, "daß Paulus der Entwicklung von Ämtern einen kräftigen Impuls mitgibt, indem er sie nicht nur hinnimmt, sondern durch Eingliederung in das charismatische Modell theologisch aufwertet".[95] Wenn 1 Kor 12 so zu lesen ist, dann kann man es nicht mit Desinteresse oder gar einer ablehnenden Haltung des Paulus erklären, daß seinen Briefen keine Hinweise auf klare Strukturen zu entnehmen sind. Auch eine Sonderstellung der korinthischen Gemeinde in dieser Frage halte ich für unwahrscheinlich.[96] Der entscheidende Grund für die Unterentwicklung lokaler Strukturen ist ja die apostolische Autorität des Paulus selbst,[97] die nicht auf die Gründungsphase und die Verkündigung des Evangeliums beschränkt war, sondern die Gemeinden begleitete und sich auch auf konkrete Probleme ihres Lebens bezog.[98] Diese Autorität übte Paulus in Korinth aber nicht stärker als in anderen Gemeinden aus. Zum anderen lassen die wenigen entsprechenden Nachrichten aus anderen Gemeinden (verwiesen wird gern auf Röm 12,6-8; 16,1f; 1 Thess 5,12) keine weiterentwickelte Struktur annehmen; die einzige Ausnahme sind hier möglicherweise die Episkopen und Diakone von Phil 1,1.[99]

---

[93] MacDonald, Churches 54, spricht von einem "fluid and complex network of leaders linking the communities together".

[94] So Holmberg, Paul 122f.

[95] Klauck, 1 Kor 93; so auch Holmberg, aaO. 194f.

[96] Gegen Roloff, Kirche 132; Holmberg, aaO. 114-116.

[97] So auch Roloff, aaO. 132; Holmberg, aaO. 117f; Hainz, Ekklesia 344.

[98] Vgl. Nardoni, Concept 77-79 (gegen v.Campenhausen).

[99] Auch Roloff, Kirche 143, sieht hier ja das Zeugnis "einer weiteren Entwicklungsstufe" gegenüber den bei Paulus sonst "wortbezogenen Ämter(n)".

Es bleibt also festzuhalten: Es existierte in den Paulusgemeinden zwischen Patronen und einfachen Mitgliedern keine klar definierte Schicht von Amtsträgern (geschweige denn ein cursus honorum), die den Gegebenheiten in Vereinen auch nur in etwa entsprach.[100] Eine Übereinstimmung besteht nur darin, daß es hier wie da keine Einheitlichkeit der Funktionen und Titel gab, was freilich bei den völlig selbständigen Vereinen weniger auffällt als bei den untereinander zumindest über Paulus verbundenen Gemeinden.

2. Der Status der Funktionsträger

Über den für eine Funktionsübernahme nötigen und den aus ihr resultierenden Status läßt sich angesichts des gerade angedeuteten Befundes nicht viel sagen.

Relevant könnte sein, daß die gleiche Funktion in einem Titel und in der (oft partizipalen) Beschreibung einer Tätigkeit erscheinen kann, die offenbar von weiteren Kreisen ausgeübt wird: neben den προφῆται (1 Kor 12,28f; 14,29) der/die προφητεύων/-ουσαι/-οντες (1 Kor 11,4f; [vgl. 14,1.5.39]); neben den διδάσκαλοι (1 Kor 12,28f) der διδάσκων (Röm 12,7) bzw. der κατηχούμενος (Gal 6,6). Ähnlich wird das Ermahnen (νουθετέω) in 1 Thess 5,12 von einer patronats- und amtsähnlichen Gruppe, direkt danach (5,14) von der gesamten Gemeinde erwartet.[101] Damit ist das oben Gesagte nicht aufgehoben, wonach es eben doch eine dauerhafte Wahrnehmung bestimmter Funktionen durch bestimmte Personen gab. Jede solche Zuordnung führt über kurz oder lang zu einer *Beschränkung* der Funktion auf die betreffende Gruppe. Bei Paulus ist dieses Stadium aber offenbar noch nicht erreicht. Die Grenzen sind, anders als in den meisten Vereinen, noch durchlässig; die Amtsträger nehmen eine Verantwortung wahr, die der gesamten Gemeinde zukommt und von ihr nur teilweise abgegeben wird.[102] Man wird deshalb vermuten dürfen, daß dort, *wo* sie abgegeben wird, d.h. in den amtsähnlichen Funktionen, diejenigen die Gemeinde repräsentierten, die besonders dazu geeignet waren; das entspricht auch der paulinischen Charismenlehre, wonach sich die Gaben des Geistes in einer besonderen Fähigkeit oder Eignung zeigen. Geeignet konnte man aber durch statusabhängige wie statusunabhängige Faktoren sein: z.B. durch überdurchschnittliche Bildung und mehr

---

[100] Daß auch in Vereinen institutionalisierte Ämter zugunsten hoher Beteiligung aller Mitglieder fehlen können, zeigt der oben besprochene Kultverein des Dionysios. Hier handelt es sich aber um eine klare Ausnahme.

[101] In V.14 liegt kein Adressatenwechsel vor; vgl. Holtz, 1 Thess 250f.

[102] Vgl. Becker, Paulus 192.

freie Zeit [103] oder durch angeborene Begabung und persönliche Reife. Nicht nur die Patrone, sondern auch ein Teil der Funktionsträger besaß demnach gehobenen sozialen Status. Es gab aber wohl auch solche, die sich auf anderem Wege für einen Dienst qualifizierten. Damit standen die paulinischen Gemeinden etwa in der Mitte zwischen den besser gestellten Vereinen, bei denen wir eine Tendenz zur Amtsmonopolisierung durch eine kleine, besitzende Gruppe feststellten, und den ärmsten collegia tenuiorum, bei denen alle Mitglieder Zugang zu Ämtern hatten, die Ämter teilweise sogar rotierten. In den Gemeinden gab es weder Amtsmonopolisierung noch Amtsrotation, sondern eine amtsähnliche, veränderliche und nicht-exklusive Bündelung von Funktionen nach Gesichtspunkten der Fähigkeit bzw. Befähigung.

Die Frage nach dem aus solcher Funktionsübernahme resultierenden Statusgewinn läßt sich kürzer beantworten. Wenn es eine Rangordnung der Funktionen gab, dann natürlich auch gestaffelten Status. Paulus unterstreicht zwar in 1 Kor 12 den gemeinsamen Ursprung der Gaben im Geist und damit ihre grundlegende Gleichheit; damit kann er aber keine völlige Gleichordnung meinen, denn er fordert die Gemeinde ja ausdrücklich auf: "Strebt nach den größeren Gaben (τὰ χαρίσματα τὰ μείζονα)!" (1 Kor 12,31). Auch in der Gemeindewirklichkeit gab es offenbar eine unterschiedlich hohe Einschätzung der einzelnen Funktionen, die allerdings inhaltlich von der des Paulus z.T. abwich (vgl. etwa die korinthische Hochschätzung der Glossolalie). Dennoch können wir den Paulusbriefen keine Hinweise auf ähnliche Regelungen wie in Vereinen entnehmen, wo durch Zuweisung unterschiedlicher Portionen oder durch unterschiedliche Strafbestimmungen die gruppeninterne Hierarchie verstärkt wurde. Die in § 8 und § 10 besprochenen Konfliktfälle lassen durchaus erkennen, daß es in den Gemeinden Tendenzen in dieser Richtung gab; keiner dieser Fälle bezieht sich aber direkt auf die bevorzugte Behandlung von Funktionsträgern als solchen.

§ 10) Die Mitglieder und ihre Stellung

1. Überblick

Über die Anzahl der Mitglieder in paulinischen Gemeinden können wir leider keine so klaren Aussagen machen wie zu Vereinen, denn es gibt keine entsprechenden Mitgliederlisten. Man kann nur aus allgemeinen Überlegungen eine ungefähre Vorstellung gewinnen, wobei vor allem die Größe der

---

[103] Vgl. Holmberg, Paul 192f.

Versammlungsräume Schlüsse zuläßt. Nach den Ausmaßen bescheiden wohlhabender Häuser dürfte eine Hausgemeinde kaum mehr als 30 Personen gezählt haben.[104] Wenn in Korinth alle Hausgemeinden an einem Ort zusammenkommen konnten (1 Kor 11,20; 14,23), muß ein außergewöhnlich großes Haus zur Verfügung gestanden haben; wahrscheinlich war es das des Gaius, der nach Röm 16,23 die "ganze Gemeinde" aufnahm. Die Gesamtzahl lag vielleicht zwischen 100 und 200 Mitgliedern.[105]

Die soziale Stellung der paulinischen Christen (und der frühen Christen überhaupt) wird heute (in der 2.Phase soziologisch orientierter Exegese, d.h. seit etwa 1970) deutlich anders beurteilt als zu Beginn des Jahrhunderts (in der 1.Phase). Damals gab folgende Sicht Deißmanns einen Konsens wieder:

> Das Urchristentum war "eine Bewegung der unteren Schichten. Nicht herabgesickert ist das Wasser des Lebens von der Oberschicht zu den Vielen und Kleinen, sondern emporgesprudelt ist es aus den Tiefen einer göttlich schlichten Seele (sc. Jesu, Th.Sch.); getrunken haben es zuerst Verirrte und Verschmachtende von der großen Karawane der Unbekannten und Vergessenen; wieder ein Schlichter war es (sc. Paulus, Th.Sch.), der die unversiegbare Quelle hinausgeleitet hat in die Welt, um Schlichte trinken zu lassen".[106]

Die allmähliche Ablösung dieser Sicht kann ich hier nicht im einzelnen nachzeichnen.[107] Ein einsamer Vorreiter war E.A. Judge, der schon 1960 das frühe Christentum als eine Art Schule verstand und ihm deshalb höheren Status bescheinigte.[108] 1977 vermutete dann A. Malherbe: "a new consensus may be emerging",[109] was sich in den 80er Jahren bestätigte. Dieser "neue Konsens" sieht etwa so aus: Das Urchristentum war, besonders in den hellenistischen Städten, eine Bewegung, deren aktivste Anhänger aus mittleren Schichten kamen; es stellte einen Querschnitt durch die Bevölkerung der Stadt dar und zeichnete sich durch diese relativ breite soziale Schichtung gegenüber anderen zeitgenössischen Vereinigungen aus, wies allerdings kaum Mitglieder mit sehr hoher oder sehr niedriger sozialer Stellung auf; tonangebend waren in

---

[104] Vgl. Klauck, Hausgemeinde 100; Banks, Paul's Idea 41.

[105] Klauck, 1 Kor 8, schätzt die korinthische Gemeinde zur Zeit der Abfassung der Korintherbriefe auf kaum mehr als 200. Unwahrscheinlich niedrig ist die Schätzung einer paulinischen Ortsgemeinde auf 40-45 Personen bei Banks, aaO. 42 - immerhin spricht Paulus in 1 Kor 11,30 ja von "vielen" Kranken und "einigen" Todesfällen.

[106] Deißmann, Urchristentum 25.

[107] Vgl. bes. die ausführliche Wiedergabe der Diskussion bei Holmberg, Sociology 21-76; ferner Judge, Identity 202-209; Meeks, Christentum 111-114; Norris, Status 4f; Tidball, Context 90-92.97f.

[108] Judge, Christians pass.; vgl. auch ders., Gruppen 48-60.

[109] Malherbe, Aspects 31.

den Gemeinden die sozial Bessergestellten; die Bewegung breitete sich von oben nach unten aus, nicht umgekehrt.[110]

Was zu diesem Umschwung geführt hat, waren im wesentlichen zwei Reihen von Untersuchungen. Die erste ging prosopographisch vor, d.h. untersuchte die Nachrichten über einzelne Christen, die z.b. in Hinblick auf "ethnische Ursprünge, ordo, Bürgerrecht, persönliche Freiheit, Vermögen, Beschäftigung, Alter, Geschlecht und öffentliche Ämter oder Ehren"[111] ausgewertet wurden. So ist es aufschlußreich, wenn Krispus Synagogenvorsteher (Apg 18,8; 1 Kor 1,14) oder Erastus οἰκονόμος τῆς πόλεως (Röm 16,23) war (beide Ämter verpflichteten zu großzügigen Spenden und setzten einen gewissen Reichtum voraus),[112] wenn Stephanas mit seinem ganzen Haus, zu dem wohl auch Sklaven gehörten, getauft wurde (1 Kor 1,16; 16,15-18), wenn andererseits Philemon einen Sklaven hatte, der nicht mit ihm zusammen Christ wurde (Phlm 10.15f) usw. Die zweite Reihe besteht aus indirekten Nachrichten, die Schlüsse auf den Status erlauben, z.B. Konflikte in der Gemeinde und ethische Weisungen des Paulus (vgl.u. 2.).

Der "neue Konsens" nimmt die Feststellung in 1 Kor 1,26 ernst: In der korinthischen Gemeinde sind "nicht viele Weise dem Fleische nach, nicht viele Mächtige, nicht viele Vornehme"; σοφός, δυνατός und εὐγενής sind geprägte Begriffe und bezeichnen in der Umwelt des NT Personen mit gehobenem Status.[113] Solche gibt es in der Gemeinde nicht viele, aber immerhin - es gibt welche. Wenn Paulus in 1 Kor 4,10 wieder (mit anderer Wortwahl) diese Kategorien andeutet, sie jetzt aber dem *ganzen* Adressatenkreis zuspricht ("*ihr* seid klug etc."), deutet das wohl auf die Dominanz dieser einflußreichen Minderheit in der Gemeinde hin.[114]

Diese neue Sicht ist nicht in jeder Hinsicht konsensfähig. Ein Kritikpunkt ist die Frage der Repräsentativität der erhebbaren Daten.[115] In manchen Stellungnahmen zum sozialen Status der frühen Christen scheint das Be-

---

[110] Vertreten wird diese Auffassung (oder wichtige Elemente daraus, z.T. auch nur für einzelne Paulusgemeinden) z.B. von Becker, Paulus 255-259; Chow, Patronage 88-93; Holmberg, Paul 104-106; Clarke, Leadership 41-56; Meeks, Christentum 120-157; Norris, Status 9; Schrage, 1 Kor I, 32f; Theißen, Schichtung pass.; ders., Théorie 210f; Tidball, Context 98-102.

[111] So das Programm von Meeks, aaO. 120; ähnlich Theißen, Schichtung 235-255.

[112] Zum vieldiskutierten Erastus-Problem vgl. jetzt Clarke, Leadership 46-56, der eine Identifikation des ntl. Erastus mit dem Erastus der korinthischen Inschrift zwar für nicht sicher hält, unabhängig davon aber ersteren als Mann mit hohem Status bestimmt.

[113] Vgl. jetzt bes. Clarke, aaO. 41-45.

[114] Vgl. Theißen, Schichtung 234; anders aber Schrage, 1 Kor I, 343.

[115] Vgl. die bei Holmberg, Sociology 63-65, referierten Kritiker (Gager, Scroggs), ferner Tidball, Context 97f; Merklein, 1 Kor 41.

wußtsein dafür zu fehlen, daß in den Gemeinden wie in jeder Gruppe die führenden Mitglieder, also die mit gehobenem Status, weit mehr von sich reden machen als die große Zahl der stillen Teilnehmer.[116] Selbst Meeks identifiziert wie selbstverständlich den "typischen" Christen mit dem, "der in den Briefen seine Gegenwart am häufigsten durch den einen oder anderen kleinen Hinweis signalisiert";[117] typische Christen sind nach Meeks also z.B. nicht die Sklaven, die es in den Gemeinden zwar sicher gab, deren Zahl wir aber nicht bestimmen können. Gegenüber solchen irreführenden Äußerungen ist festzuhalten: Zum "neuen Konsens" gehört (übrigens auch in der Sicht von Meeks) die Annahme, daß die Mehrheit aus den unteren (nicht: untersten) Schichten stammte, also aus (städtischen) Sklaven, Freigelassenen, Tagelöhnern u.ä. Das Neue ist eigentlich nur, daß es auch einige Bessergestellte gab und daß diese, wie nicht anders zu erwarten, in den Gemeinden den Ton angaben. Dies muß nicht bedeuten, daß alle anderen ihre Klienten waren und deshalb nicht als selbständige Mitglieder zu zählen sind;[118] in § 8 hat sich ja gezeigt, daß man die Patron-Klienten-Beziehungen in den Gemeinden nicht überschätzen darf.

Eine zweite Schwierigkeit ist die Repräsentativität der korinthischen Gemeinde, an der viele Ergebnisse gewonnen wurden, für die Paulusgemeinden überhaupt. So will etwa Jewett in der Gemeinde von Thessalonich eine insgesamt niedrigere soziale Stellung und ein kleineres soziales Spektrum erkennen als in anderen Gemeinden.[119] Demgegenüber ist aber darauf hinzuweisen, daß Untersuchungen zu den Gemeinden in Rom [120] und Karthago [121] ganz ähnliche Ergebnisse hervorgebracht haben wie die zur korinthischen Gemeinde und daß unsere Beobachtungen zu Patronen (o. § 8), die ja mit der sozialen Zusammensetzung zu tun hatten, keinen Anhaltspunkt für wesentliche Unterschiede in den einzelnen Gemeinden ergaben.

Die soziale Inhomogenität der Gemeinden brachte einige Probleme mit sich. Bevor wir uns zwei konkreten statusbedingten Spannungen unter den

---

[116] So etwa Smith, Christians 453: Die Mehrheit der frühen Christen stamme aus der Mittelklasse (eine Aussage, die allerdings dadurch etwas relativiert wird, daß Smith mit 'Mittelklasse' "free workmen, craftsmen, small business-men, and independent farmers" [ebd.] meint).

[117] Meeks, Christentum 156.

[118] Gegen Holmberg, Sociology 63, der sich auf Judge und Malherbe stützt.

[119] Vgl. Jewett, Correspondence 120-122; ähnlich (allerdings vorsichtiger) Barclay, Thessalonika pass.

[120] Lampe, Christen (1987).

[121] Schöllgen, Ecclesia (1984) bes.223f.267 (allerdings schränkt Schöllgen selbst die Verläßlichkeit seiner Ergebnisse stark ein: z.T. handle es sich nur um Vermutungen).

korinthischen Gemeindemitgliedern zuwenden (u. 2.), werfen wir noch einen Blick auf das paulinische Programm für die richtige Einschätzung der innergemeindlichen Unterschiede in Gal 3,27f: "Alle, die ihr auf Christus getauft wurdet, habt Christus angezogen. Da ist nicht mehr Jude noch Grieche, nicht mehr Sklave noch Freier, weder Mann noch Frau. Denn ihr alle seid einer in Christus Jesus." Die Wirkung der Taufe besteht also für Paulus (und schon für die hier verwendete Tradition)[122] in einer Einheit, die die alten Unterschiede aufhebt. Die drei Oppositionspaare sind vermutlich Beispiele, so daß auch andere Statusunterschiede wie Bürger - Nichtbürger und arm - reich eingeschlossen sind. Die für uns entscheidende Frage ist: Inwiefern prägte dieses theologische Programm die soziale Wirklichkeit? Sehr zuversichtlich ist hier J. Roloff:

> "Gal 3,28 ist als *Erfahrungsbericht* über das, was sich in den paulinischen Gemeinden tatsächlich vollzieht, zu lesen: Hier ist ein neues Miteinander von Menschen im Entstehen begriffen, das seine Struktur nicht mehr, wie in den üblichen Formen sozialen Lebens, von den Abgrenzungen und Unterscheidungen her bezieht, mit denen Menschen bislang ihre Identität bestimmt haben. Hier wirken sich nicht mehr die Verhältnisse von Über- und Unterlegenheit, von Herrschen und Beherrschtsein aus. Bestimmend ist nunmehr allein die Zugehörigkeit zu Christus. Weder spricht Paulus von utopischen Idealen oder wünschbaren ethischen Konsequenzen, noch will er bloß die Irrelevanz bestehender Unterschiede für den persönlichen Heilsstand des je einzelnen herausstellen. (...) Die in Röm 6,4 als Imperativ formulierte Konsequenz der Taufe für den Christen - 'so sollen auch wir in der neuen Lebenswirklichkeit wandeln' - erfährt hier im *Indikativ der Erfahrung* ihre inhaltliche Konkretion".[123]

Roloff deutet ein Problem an, das der Text im Rahmen der Paulusbriefe enthält: die Einordnung in das Spannungsfeld von Indikativ und Imperativ. Während es in Gal 3,27 heißt, "ihr habt Christus angezogen", erscheint dasselbe Bild in Röm 13,14 als Imperativ: "Zieht den Herrn Jesus Christus an und sorgt für das Fleisch nicht so, daß Begierden entstehen!" Die Taufe wirkt nicht automatisch. "Wenn ich den Gehorsam versage, vernichte ich die Wirkung".[124] Es bleibt also möglich, den Gehorsam zu versagen und die alten sozialen Unterschiede fortzuführen bzw. wiederaufleben zu lassen. Die Einheit war für die Gemeinden nicht die einzige Möglichkeit.

Blicken wir deshalb kurz auf die einzelnen Gegensatzpaare. Am intensivsten beschäftigt hat Paulus sicher die erste Opposition. In die Überwindung der Spannung zwischen Juden- und Heidenchristen investierte er beträchtliche

---

[122] Vgl. Merklein, Entstehung 324f: Alle drei Oppositionspaare (28a), die Einheitsaussage (28b) und der Bezug auf die Taufe (27) sind traditionell.

[123] Roloff, Kirche 94 (Hervorhebungen im Original). Auch Merklein, aaO. 325, sieht in Gal 3,28 "greifbare urchristliche Erfahrung" ausgedrückt.

[124] Conzelmann, Grundriß 297.

theologische (bes. Röm 1-4) und biographische Energie (vgl. bes. Gal 2). Diese Spannungen hatten u.a. mit Statusunterschieden zu tun, wobei in jüdischen Augen Heiden wegen mangelnder Gesetzeskenntnis und -beachtung geringeren Status besaßen, gesamtgesellschaftlich gesehen aber das Verhältnis oft umgekehrt war. Dies muß hier ebensowenig im einzelnen belegt werden wie die Tatsache, daß die Paulusgemeinden diesen Gegensatz im Prinzip überwanden, daß er ihre Geschichte allerdings begleitete und an manchen Stellen wieder aufbrach (vgl. Gal).

Ähnlich verläuft die Überwindung des sozialen Unterschieds zwischen Sklaven und Freien. Auch hier genügen Andeutungen. Der christliche Sklavenbesitzer Philemon wird von Paulus nicht zur Freilassung des Onesimus aufgefordert, sondern zu seiner Aufnahme als "geliebten Bruder" (Phlm 16).[125] Den christlichen Sklaven wird in dem umstrittenen Vers 1 Kor 7,21 sehr wahrscheinlich nahegelegt, die Möglichkeit der Freilassung *nicht* zu nutzen. Der Kontext dieser Stelle, der auch beschnitten bzw. unbeschnitten und verheiratet bzw. unverheiratet zu *bleiben* empfiehlt, läßt keine andere Deutung zu. Für Paulus liegt offenbar der religiös-kulturelle Unterschied zwischen Juden und Heiden insofern auf derselben Ebene wie der rechtliche zwischen Sklaven und Freien, als beide in der Gemeinde nicht mehr relevant sind. Tatsächlich werden die Sklaven "natürlich und selbstverständlich voll in die Gemeinde integriert. Keiner spricht ihnen die Taufe, den Geist oder die Teilnahme am Herrenmahl ab".[126] Daß es beim Herrenmahl zu Problemen kommen konnte, haben wir bei der Beschäftigung mit 1 Kor 11,17-34 gesehen [127] - unter den zuletzt Kommenden waren sicher viele Sklaven. Schon diese relativ geringfügige Benachteiligung wird aber von Paulus in diesem Text gerügt und abgestellt.

Weniger überzeugend überwunden ist der Statusunterschied von Männern und Frauen. Zwar ist es keine Frage, daß auch Frauen Zugang zur Gemeinde und in ihr zu herausgehobenen Positionen hatten (vgl. nur die "Apostolin" Junia in Röm 16,7). Aber zumindest aus 1 Kor 11,2-16 spricht doch eine Unterordnung der Frau mit praktischen Konsequenzen; noch mehr gilt dies von 1 Kor 14,33b-36, wobei die Echtheit dieses Abschnitts allerdings umstritten ist. Eine einleuchtende Erklärung für diesen Befund bietet A. Funk, der zwischen idealer und realer Statusbewertung unterscheidet: "Der

---

[125] Vgl. dazu Gnilka, Phlm 51-53.
[126] Becker, Paulus 465.
[127] Vgl.o. § 8,2.2.3.

Unterschied kam dadurch zustande, daß eine vorhandene negative Bewertung der Frauen (...) von einer neuen, positiven überlagert wurde. Die neue Wertung war zunächst eine ideale, die sich im realen Verhalten nur partiell durchsetzte".[128] Zu fragen bleibt natürlich, warum hier ideale und reale Bewertung nicht ebensogut zusammenstimmten wie bei der Einschätzung von Juden und Heiden.

Dieser kurze Durchgang zeigt, daß die Überwindung der Statusunterschiede in den Gemeinden permanent gefährdet war. Dennoch dürfte Roloff Recht haben, wenn er in Gal 3,28 einen Erfahrungsbericht sieht. Allerdings kommt hier eben nur *eine* Art von Erfahrungen, die mit der grundlegenden Einheit, zur Sprache. Diese Einheit gab es. Sie spiegelt sich auch in der Familienfiktion, die in den Gemeinden quantitativ und qualitativ sehr viel größere Bedeutung hatte als in den Vereinen.[129] Paulus kann die Briefadressaten als "(meine) Brüder" ansprechen (ca. 65 Mal!), aber auch als "Kinder" (z.B. 1 Kor 4,14; Gal 4,19); er kann sich mit einem Vater (1 Thess 2,11; 1 Kor 4,12) und mit einer Mutter (1 Thess 2,7) vergleichen; daneben bezeichnet er sich zusammen mit den Adressaten als "Kinder Gottes" (Röm 8,16.21). Die Gemeindemitglieder gebrauchten wohl auch untereinander die Bruder- bzw. Schwesteranrede; dafür spricht die Häufigkeit der Metapher im NT auch außerhalb der paulinischen Schriften. Die weite Verbreitung und die flexiblere Verwendung der Metapher lassen zwar vermuten, daß der Spachgebrauch aus dem Judentum, nicht etwa aus dem Vereinswesen übernommen wurde.[130] Dessenungeachtet hat die Familienfiktion in Gemeinden und Vereinen gleiche Funktion: Sie reflektiert und verstärkt eine enge und vertraute Zusammengehörigkeit der Gruppe. Die Autorität des "Vaters" ist in der Gemeinde zwar präsenter als im Verein, wird aber durch die gemeinsame Kindschaft gegenüber Gott relativiert.

2. Die Gemeinde von Korinth

Nach diesen allgemeinen und notgedrungen skizzenhaften Überlegungen wenden wir uns nun zwei konkreten statusbedingten Spannungen unter den korinthischen Gemeindemitgliedern zu.

---

[128] Funk, Status 16. Funk schließt in diese Stellungnahme auch die Bewertung der Sklaven ein, m.E. allerdings zu Unrecht.

[129] Vgl. dazu Meeks, Christentum 182-188; Banks, Paul's Idea 54-56.

[130] Zu dieser Herleitung vgl. von Soden, Art.: ἀδελφός 145.

2.1 Gerichtsverfahren unter Christen (1 Kor 6,1-8)

Worum es in 1 Kor 6,1-8 im einzelnen geht, ist wieder einmal reichlich unklar. Soviel läßt sich erkennen: Mitglieder der Gemeinde sind in Prozesse gegeneinander verwickelt und haben dafür den in der Stadt üblichen Rechtsweg gewählt. Vermutlich geht es um alltägliche Vermögensangelegenheiten (V.3f: βιωτικά [κριτήρια]).[131] Diese Prozesse werden von Paulus scharf getadelt. Die beste Lösung wäre in seinen Augen, Unrecht zu ertragen, statt sich zu wehren (V.7). Zumindest aber sollen Auseinandersetzungen nicht außerhalb der Gemeinde stattfinden; Christen, die beim Endgericht mitwirken werden, müssen dazu in der Lage sein, solche Kleinigkeiten unter sich zu regeln (V.2f).

Wer sind die Kläger? Der Text selbst bietet keine sicheren Anhaltspunkte. Wenn es um Vermögensfragen geht, dürfte es sich um vermögendere Christen handeln. Die ironische Frage in V.5b könnte darauf hinweisen, daß an den Prozessen die "Weisen" der Gemeinde, also die bessergestellte Minderheit, beteiligt sind.[132] Dafür sprechen auch allgemeine Beobachtungen zum griechisch-römischen Gerichtswesen:[133] Vor Gericht waren hier keineswegs alle gleich, sondern höherer Status bedeutete höhere Chancen, die eigene Rechtsauffassung durchzusetzen. Der Status spielte eine Rolle bei der Möglichkeit, überhaupt Anklage erheben zu können (Klagen von Niedrigeren gegen Höhere wurden oft nicht angenommen), bei der Durchführung des Verfahrens (Einflußnahme auf Magistrate und Richter bis hin zur Bestechung), für die Strafhöhe [134] und für einen eventuellen Straferlaß. Zudem war der für jeden Prozeß notwendige große Aufwand an Geld und Zeit für kleine Leuten schwer zu erbringen. Deshalb stammte bei den meisten Prozessen zumindest der Kläger aus bessergestellten Kreisen. Nehmen wir diese Beobachtungen mit den Hinweisen im Text zusammen, dürfen wir letzteres auch für die Prozesse der Gemeinde vermuten.

Wer waren die Beklagten? A.C. Mitchell hat vor kurzem die Auffassung vertreten, diese seien in der niedrigeren Mehrheit der Gemeinde zu suchen; Paulus wende sich dagegen, daß die Reicheren unter Ausnutzung ihres Status die Ärmeren verklagten.[135] Diese Sicht läßt sich dem Text nicht entnehmen. Paulus deutet in keiner Weise an, daß zwischen Klägern und Beklagten ein

---

[131] Vgl. Theißen, Schichtung 258; Chow, Patronage 125f.

[132] So Chow, aaO. 128.

[133] Zum folgenden vgl. Winter, Litigation 561.564-566; Mitchell, 1 Corinthians 6, II,130; ders., Rich 575-581; Clarke, Leadership 64-67; Chow, aaO. 128f.

[134] Vgl.o. § 3,1.

[135] Mitchell, Rich (1993), 582-584.

soziales Gefälle besteht (ganz im Gegenteil, vgl. V.1.6). Müßte man klare Hinweise aber nicht erwarten? Immerhin spricht Paulus z.B. beim Problem des Herrenmahls (1 Kor 11,17-34) sehr deutlich von Besitzenden und Habenichtsen. Zudem geht aus V.7 hervor, daß die Kläger sich gegen ein Unrecht zur Wehr setzen; in Mitchells Sicht müßten Christen mit höherem Status von Brüdern mit niedrigem Status benachteiligt worden sein - eine zwar nicht unmögliche, aber angesichts der sozialen Verhältnisse doch unwahrscheinliche Konstellation. Scheidet diese Deutung also eher aus, bleibt nur die Möglichkeit, daß die Prozesse sich *innerhalb* der kleinen bessergestellten Gruppe abspielten.

Was stört Paulus daran? Wahrscheinlich muß man berücksichtigen, daß Prozesse nicht nur geführt wurden, um Recht zu bekommen, sondern auch, um den eigenen Status auf Kosten des Gegners zu erhöhen. Dabei war man nicht zimperlich: Jedes Mittel, das den Prozeßgegner moralisch oder sonstwie herabsetzen konnte, kam gerade recht.[136] Deshalb schufen bzw. verstärkten Prozesse unabhängig von ihrem Ausgang persönliche Feindschaften. In Korinth könnten sich solche Feindschaften mit dem Gegensatz zwischen den "Parteien" überschnitten haben.[137] Ein Grund für Paulus, eine gemeinde*interne* Regelung von Konflikten zu befürworten,[138] wäre dann seine Bemühung um die Einheit der Gemeinde. Ein zweiter Grund dürfte mit der Gruppenidentität zusammenhängen: Paulus kritisiert, daß "'Heilige' als Gott gehörende Glieder des endzeitlichen Gottesvolkes ihre Eigenständigkeit preisgeben und ihre Unterschiede zum System des Staates verwischen können".[139] Aus analogen Gründen haben auch andere Gruppen (das Diasporajudentum, Mysterienkulte, Vereine) eine interne Schiedsgerichtsbarkeit entwickelt.[140]

Damit zeigt sich: In 1 Kor 6 geht es um statusbedingte Konflikte zwischen Statusgleichen, letztlich also um eine Überschätzung des Status, die Paulus zugunsten der Einheit kritisiert.

2.2 "Starke" und "Schwache" (1 Kor 8-10)

Mit "Περὶ δὲ τῶν εἰδωλοθύτων" nimmt Paulus in 1 Kor 8,1 eine Frage auf, die in einem Brief der korinthischen Gemeinde an ihn gerichtet worden war:

---

[136] Vgl. Winter, Litigation 566f; Clarke, Leadership 63.
[137] So Winter, aaO. 567f; Clarke, aaO. 69.
[138] Wie diese näherhin aussah, mag hier offenbleiben. Mitchell, 1 Corinthians 6, bes. II,201-205, argumentiert ausführlich gegen die Annahme, Paulus wolle analog zu jüdischen Gerichten ein christliches Gericht einrichten; vielmehr gehe es ihm um private Schlichtung.
[139] Schrage, 1 Kor I, 407. Ähnlich Mitchell, Rich 585.
[140] Belege bei Schrage, aaO. I,408. Vgl. auch o. § 5,3 zur Iobaccheninschrift.

Wie sieht der richtige christliche Umgang mit dem Fleisch aus, das von rituell vollzogenen Schlachtungen stammt? Die Frage hat für Paulus (ob auch schon im Fragebrief der Korinther, können wir nicht sagen) drei Aspekte: 1. das Essen von Fleisch, das auf dem Markt gekauft wurde (10,25f); 2. das Fleischessen bei privaten Einladungen (10,27f); 3. das Fleischessen bei Opfermahlzeiten im Tempel (8,10; 10,14-22). Eine Gruppe in der Gemeinde, die "Starken", sehen im Verzehr von Götzenopferfleisch kein Problem, weil sie die Erkenntnis haben, daß keine Götzen existieren. Eine andere Gruppe, die "Schwachen", wird durch diese Haltung in die Gefahr gebracht, gegen ihr Gewissen ebenfalls Opferfleisch zu essen und so "zugrunde zu gehen" (8,11). Die Antwort des Paulus ist bezüglich des 3. Aspekts negativ (8,12f; 10,14.20f); die beiden anderen Möglichkeiten gesteht er zu, sofern die Herkunft des Fleischs aus ritueller Schlachtung nicht manifest ist (10,25.28).

Schon diese allgemeine Kennzeichnung der Problemlage und der paulinischen Stellungnahme ist nicht unumstritten. Manche Autoren sehen in 8,10 ein anderes Verhalten angesprochen als in 10,14-22: Paulus "verbietet nicht den Besuch der Tempelrestaurants, der rein gesellschaftlicher Art sein kann"[141] und der in 8,10 zur Debatte steht. Diese Unterscheidung hat allerdings im Text keinen Anhalt.[142] Sie ist offenbar eine Erleichterung des schwierigen Verhältnisses zwischen der paulinischen Argumentation in 8,10-13 und in 10,14-22. In Kap.8 ist nämlich ein Besuch des Opfermahls im Tempel den Christen prinzipiell möglich; nur die Rücksicht auf "schwache" Mitchristen sollte sie davon abhalten. In 10,14-22 dagegen erscheint die Teilnahme am Götzenkult prinzipiell mit der Teilnahme am christlichen Herrenmahl unvereinbar. Diese Spannung [143] hat bei anderen Autoren, zusammen mit weiteren schwer erklärbaren Sprüngen im Gedankengang, dazu Anlaß gegeben, die Einheitlichkeit der Kapitel 8-10 in Frage zu stellen.[144] Auch diesem Ausweg kann ich mich aber nicht anschließen. Paulus bietet ja auch sonst oft verschiedene, unverbundene und z.T. unausgeglichene Begründun-

---

[141] Conzelmann, 1 Kor 184; so auch Söding, Starke 84 (hier auch in Anm.69 weitere Literatur).

[142] Vgl. Klauck, Herrenmahl 248: "Alle Mähler im Tempel, auch die Sarapismähler, blieben in den Opferrahmen eingebunden."

[143] Wenig überzeugend, da im Text nicht angedeutet, ist der Erklärungsversuch bei Theißen, Die Starken 272: "Jeder, der zunächst passiv, d.h. als Eingeladener, an heidnischen Kultmahlen teilnahm, stand bald vor dem Problem, ob er nicht zu einer Gegeneinladung in ähnlicher Form verpflichtet war. Damit wurde er aber selbst zum Initiator des 'Götzendienstes'."

[144] So etwa Klauck, Herrenmahl bes. 272.

gen für ethische Mahnungen.[145] Literarkritisch wirklich relevante Brüche finde ich in Kap. 8-10 nicht; die vorhandenen Spannungen werden durch Kohärenzsignale mehr als ausgeglichen.[146]

Umstritten ist schließlich die Identität der "Schwachen". Nach 8,7 essen sie "aus ihrer bisherigen Gewohnheit an den Götzen (das Fleisch) als Götzenopferfleisch". Der Text gibt nicht eindeutig her, daß es sich um Heidenchristen handelt, denn die "Gewohnheit" bezieht sich nicht direkt auf das Essen.[147] Auch Juden waren "an den Götzen gewöhnt", freilich im negativen Sinn. Im Fall von Judenchristen konnte das schlechte Gewissen beim Fleischessen daraus resultieren, daß sie das frühere Tabu innerlich noch nicht überwunden hatten, bei Heidenchristen daraus, daß sie dem Fleisch immer noch numinose Qualität zuschrieben.[148]

Nach diesen vorab nötigen Klärungen wenden wir uns der einflußreichen These Theißens zu, die den Konflikt zwischen Starken und Schwachen mit schichtspezifischen Verhaltensweisen erklären will.[149] Solche sind zunächst bestimmte Ernährungsweisen: Wohlhabende konnten mehr Fleisch essen als die breite Masse, die hauptsächlich von Mehlspeisen lebte. Die Probleme um das Fleischessen und -kaufen wurde deshalb eher von den reicheren Gemeindemitgliedern ausgelöst. An Fleisch gelangten kleine Leute fast nur bei Veranstaltungen in kultischem Rahmen, d.h. bei Opfermählern etwa aufgrund von Stiftungen, anläßlich religiöser Feste oder in Vereinen. Für sie war deshalb Fleischgenuß viel stärker mit Götzendienst verbunden. Schichtspezifisch sind ferner die Geselligkeitsformen: Höhergestellte waren stärker in die nichtchristliche Gesellschaft integriert als einfache Christen; ein Verzicht auf Einladungen, bei denen möglicherweise Opferfleisch serviert wurde, wäre ihnen schwerer gefallen. Schließlich[150] geht Theißen auf die Kommunikationsformen ein: Paulus erfuhr von der ganzen Problematik durch einen Gemeindebrief, den offensichtlich Christen schrieben, die den Standpunkt der "Star-

---

[145] Vgl. nur 1 Kor 11,2-16!

[146] So auch (mit ausführlicher Begründung) Merklein, Einheitlichkeit 355-365; Willis, Idol Meat 270-275.

[147] Gegen Klauck, Herrenmahl 246; Söding, Starke 75f.

[148] So auch Theißen, Die Starken 273f.

[149] Theißen, Die Starken und Schwachen in Korinth. Soziologische Analyse eines theologischen Streites (1975); vgl. ders., Schichtung 259. Positiv aufgenommen wurde diese These von Klauck, Herrenmahl 247; Chow, Patronage 146-156 (hier allerdings mit gewollter und wenig überzeugender Weiterführung in Richtung auf Opfermahlzeiten speziell im Rahmen des Kaiserkultes); Söding, Starke 70 (mit Anm. 4 und 5). 74. Skeptisch bezüglich einer soziologischen Erklärung dieses Konflikts ist Baird, One 125.130f.

[150] Theißens Beobachtungen zu den "Legitimationsformen" (Die Starken 282-286) lasse ich hier als weniger relevant aus.

ken" vertraten; es handelte sich hier um die führenden Mitglieder der Gemeinde; die Antwort des Paulus in 1 Kor 8-10 ist fast durchweg an diese dominante Gruppe gerichtet. Theißen resümiert:

> "Alle Beobachtungen über Ernährungs-, Gesellkeits-, Legitimations- und Kommunikationsformen weisen darauf, daß die Starken wahrscheinlich zu den wenigen 'Weisen, Mächtigen und Hochgeborenen' (1,26) gehören. Ihre vorurteilslosere Haltung hat primär ihren sozialen Ort in den höheren Schichten. Natürlich wird sich ihre Haltung darüber hinaus verbreitet haben. Gerade die Christen mit höherem Sozialstatus werden eine größere Hausgemeinschaft hinter sich gehabt haben. Gerade sie werden meinungsbildende Personen gewesen sein. Aber sie haben nicht alle für ihre Haltung gewinnen können. Es gab die Schwachen, bei denen heidnische wie jüdische Traditionen nachwirken mochten".[151]

In der Stellungnahme des Paulus sieht Theißen wieder ein klares Zeugnis für "Liebespatriarchalismus".[152] Das heißt: Paulus ruft die Bessergestellten zur Rücksichtnahme auf Geringergestellte auf, ohne die sozialen Ungleichheiten und die aus ihnen entspringenden Gewohnheiten zu beseitigen. Die Reicheren können weiterhin Fleisch kaufen und bei privaten Einladungen essen, solange der kultische Charakter nicht deutlich ist und "Schwache" irritieren kann. In der Praxis bedeutet dieser Kompromiß freilich auch, daß die "Schwachen" das Nachsehen haben: "Denn gerade die offiziellen kultischen Feste, wo jeder das Verhalten des anderen kontrollieren kann, werden vom Verbot des Götzendienstes betroffen, also jene Gelegenheiten, bei denen auch die kleineren Leute zu etwas Fleischgenuß kommen konnten".[153]

Diese Rekonstruktion Theißens enthält ebenso glänzende Beobachtungen wie seine Ausführungen zum Herrenmahl.[154] Die Bestimmung der Situation in Korinth, insbesondere die Identifizierung der "Starken" und "Schwachen" mit Christen aus höheren und niedrigeren Schichten, ist weitgehend überzeugend. Auf dem Hintergrund dieser Situation kann aber die Stellungnahme des Paulus nicht als Ausdruck eines Liebespatriarchalismus bestimmt werden. Es ist ja folgendes zu bedenken:

(1) Die "Starken" haben ein gutes Gewissen, und zwar aus verschiedenen Gründen. Sie haben eine theologische Position, der auch Paulus weitgehend zustimmt (8,4-6; 10,29f). Sie haben sich zudem vergeblich bemüht, die "Schwachen" für ihre Sicht zu gewinnen; aus V.10 ist wohl zu schließen, daß es entsprechende "Erbauungsversuche" gab.[155] Es geht also nicht um

---

[151] Ders., aaO. 287.
[152] Vgl. dazu o. § 8,2.2.3.
[153] Ders., Die Starken 288.
[154] Vgl. o. § 8, 2.2.3.
[155] Vgl. Klauck, Herrenmahl 248; Söding, Starke 70f.

überhebliche Absonderung oder ähnliches.[156] Die Position der "Starken" wird vermutlich auch von der Mehrheit der Gemeindemitglieder vertreten. Die führenden Personen wirken meinungsbildend, allerdings nicht bei allen: "einige" (τινες) schließen sich nicht an. Soll nun die Mehrheit, nachdem sie sich um den Rest redlich bemüht hat, dessen "unaufgeklärte" Vorbehalte als Norm übernehmen? Die Auswirkung der liberaleren Haltung der "Starken" auf die "Schwachen" war ja schließlich weniger direkt als beim Problem des Herrenmahls; dort bewirkte die Vorwegnahme des Sättigungsmahls durch die Bessergestellten, daß einige hungern mußten; hier dagegen stürzt die gut begründete Freiheit der Mehrheit einige "Schwache" in Konflikte mit ihrem Gewissen.

(2) Paulus erlaubt den "Starken", weiterhin Fleisch zu kaufen und bei Einladungen zu essen. Diese Erlaubnis ist aber (gegen Theißen) nicht daran gebunden, daß der Kreis, in dem das Fleisch gegessen wird, sehr exklusiv ist und keine "Schwachen" dabei sind; die Vorgabe ist vielmehr, daß die kultische Herkunft nicht manifest sein darf.[157] Es wird den Bessergestellten also nicht einfach das Recht zugestanden, außerhalb der Gemeinde ein anderes Sozialverhalten an den Tag zu legen als innerhalb.[158] Zudem dürfte es sich für Paulus nur um ein Zugeständnis (nicht um einen Kompromiß!) handeln, auf das die "Starken" besser verzichten sollten: In 11,1 fordert Paulus dazu auf, ihn nachzuahmen; sein vorbildliches Verhalten liegt doch wohl zum einen in 8,13, zum anderen in Kap.9. An diesen beiden Stellen gibt es aber in der Haltung des Paulus keine Differenzierung oder Einschränkung; er verzichtet lieber *völlig* auf Fleisch, als seinem Bruder Anstoß zu geben, und er nimmt die Unterstützung der Gemeinde, auf die er ein Recht hätte, *überhaupt nicht* in Anspruch. Legt sich nicht die Annahme nahe, daß er von den "Starken" Entsprechendes erhoffte?[159]

Wir kommen also zu einem ähnlichen Ergebnis wie bei der Besprechung des Herrenmahls. Es gab in Korinth keine krassen Mißstände. Die bessergestellte Minderheit drückte nicht rücksichtslos ihre Interessen gegen die Mehrheit durch. Es gab zwar eine statusbedingte Spaltung in der Gemeinde, aber die "Starken" bemühten sich selbst um eine Brücke zu den wenigen "Schwa-

---

[156] Gegen Barclay, Thessalonika 60, ist für die "Starken" nicht einfach ihre Integration in die Gesellschaft wichtiger als das Gewissen der Mitchristen.

[157] Vgl. Klauck, Herrenmahl 274f: Man mußte nicht von vorneherein bei jedem Stück Fleisch kultische Herkunft unterstellen, wie in der Literatur z.T. vertreten wird, sondern man wußte es normalerweise einfach nicht.

[158] Gegen Theißen, Die Starken 273; MacDonald, Churches 41f.

[159] Ähnlich Engberg-Pedersen, Gospel 574-576; Willis, Idol Meat 286-291.

chen", wenn auch mit den falschen Mitteln und ohne Erfolg. Obwohl Paulus die theologische Position der "Starken" (abgesehen von ihrer liberalen Haltung gegenüber Kultfeiern) teilt und ihnen deshalb einen völligen Verzicht auf Fleisch mit möglicherweise ritueller Herkunft nicht vorschreibt, erwartet er doch eine weiter als bisher gehende Rücksichtnahme von ihnen, die sich zumindest in Enthaltung von *manifestem* Götzenopferfleisch, möglichst aber in vollständigem Verzicht auf das eigene, wohlbegründete Recht äußert.

3. Zusammenfassung und Auswertung

Die relativ breite soziale Schichtung der paulinischen Gemeinden, die heute in einem "neuen Konsens" angenommen wird, legt die Frage nach dem Umgang mit sozialen Unterschieden nahe. Wir sahen, daß die Tauftradition von Gal 3,28 tatsächlich weitgehend der sozialen Wirklichkeit entsprach. Die Gemeinden entwickelten einen hohen Grad von Einheit und Gleichwertigkeit, die allerdings fortwährend gefährdet waren. Daß die Familienfiktion für die Gemeinden wichtiger war als für Vereine, hat hier seinen Grund.

Die Untersuchung zweier Konflikte in der korinthischen Gemeinde bestätigte dieses Bild. Es gab hier gewisse Spannungen, die mit Status zu tun hatten. Der erste Fall (1 Kor 6) war allerdings ein Problem zwischen mehr oder weniger Statusgleichen, der zweite (1 Kor 8-10) war ein Konflikt, bei dem die statusschwache Mehrheit sich weitgehend auf die Seite der Minderheit mit gehobenem Status stellte; die kleine, ebenfalls statusschwache Gruppe mit abweichender Haltung wurde nicht einfach abgeschrieben, sondern man versuchte, sie zu gewinnen. Selbst solche relativ geringfügigen Störungen waren für Paulus bereits Grund genug, zur Einheit zurückzurufen.

Diese ausgeprägte Einheit und Gleichstellung der Mitglieder gehörte zur Identität der paulinischen Gemeinden, und zwar in anderer Weise als bei Vereinen, obwohl wir ja auch hier z.T. weitgehende Egalität feststellten.[160] Man kann den Unterschied gut daran erkennen, wie Paulus in 1 Kor 12 das Bild vom Leib und den Gliedern verwendet. Er formuliert hier eine Anschauung, die in Vereinen schlecht vorstellbar ist: "(...) Die Glieder des Leibes, die schwächer zu sein scheinen, sind notwendig; die, die wir für weniger edel halten, denen erweisen wir größere Ehre; unsere unanständigen (Glieder) erhalten um so größere Wohlanständigkeit, unsere anständigen (Glieder) haben das nicht nötig. Aber Gott hat den Körper so zusammengesetzt, daß er dem bedürftigen (Glied) größere Ehre gab, damit es keine Spaltung im Körper gebe, sondern daß die Glieder in Eintracht füreinander sor-

---

[160] Näheres dazu u. in § 11.

gen." (1 Kor 12,22-25). Größere Ehre bekommen also nicht die führenden Mitglieder wie in einem Verein, sondern die geringen. Das Bild dient nicht der Stabilisierung bestehender Unterschiede, sondern ihrer Überwindung.[161] Auch wenn es von Paulus paränetisch eingesetzt wird und deshalb gerade dafür spricht, daß die soziale Wirklichkeit etwas anders aussah - es dürfte, ebenso wie die Aussage in Gal 3,28, aufs Ganze gesehen die Realität der Gemeinden geprägt haben.

---

[161] Zum Hintergrund dieses Bilds in der Umwelt und zu seiner Verwendung durch Paulus vgl. Klauck, Herrenmahl 337-346; Becker, Paulus 455f; Martin, Tongues 567.569.577; Moxnes, Integration 101; Roloff, Kirche 107-109.

§ 11) Rückblick

In diesem abschließenden Paragraphen werden nicht mehr alle Ergebnisse der Arbeit im einzelnen aufgeführt; das ist in verschiedenen Zusammenfassungen bereits geschehen.[1] Hier soll nur noch eine kurze Zusammenschau der Teile 2 und 3 erfolgen, die das Verhältnis von Gemeinden und Vereinen auf einer grundsätzlicheren Ebene klären kann und so zu einer Antwort auf die Fragen kommt, die in der Einleitung und in Teil 1 gestellt wurden.

Wenn frühchristliche (und sicher auch paulinische) Gemeinden von ihrer Umwelt als Vereine verstanden wurden, war dies ein naheliegendes und nicht unberechtigtes Urteil. Die Gemeinsamkeiten stachen ins Auge. In der Frage der Statusdifferenzierung, die uns in diesem Büchlein interessierte, zeigten beide Gruppen eine Verbindung von hierarchischen und egalitären Elementen: einerseits (meist) eine bessergestellte Führungsschicht, die durch materielle und sonstige Leistungen für die Gruppe ihren Status verbesserte; andererseits eine starke Betonung der Einheit und grundsätzlichen Gleichstellung aller Mitglieder, d.h. eine Überwindung sozialer Gräben, die sich z.B. in der Familienfiktion äußern konnte. Nicht nur von den Vereinen, sondern auch von den Gemeinden dürften Bedürfnisse nach einer kollektiven Identität befriedigt worden sein, die im städtischen und staatlichen Leben sonst keine Befriedigung mehr fanden. Zudem bewirkten beide Gruppen eine Entlastung ihrer Mitglieder vom starken Druck der sozialen Hierarchie in der Umwelt. Es ist deshalb überzogen, wenn Chow und Clarke von einer Ersetzung hierarchischer Patron-Klient-Beziehungen in Vereinen durch egalitäre Beziehungen zwischen Brüdern und Schwestern in Gemeinden sprechen.[2] Sowohl Vereine wie Gemeinden wiesen eine Kombination von vertikalen und horizontalen Bindungen auf.

Beide Gruppen unterschieden sich also von ihrer stark hierarchisch geprägten sozialen Umwelt. Bei beiden gehörte eine grundsätzliche Gleichwertigkeit ihrer Mitglieder zur Identität der Gruppe. Allerdings hat sich im Laufe unserer Untersuchung gezeigt, daß in den Gemeinden diese Gleichwertigkeit das Gruppenleben doch erheblich stärker prägte als in den Vereinen. Die Suche nach einer Erklärung für diesen Unterschied geht über den Rahmen eines sozialgeschichtlichen Vergleichs, wie er hier angestellt wurde, hinaus. Er muß jedenfalls mit einem (bei aller Gemeinsamkeit) unterschiedlichen Selbstverständnis zu tun haben. Denkbar wäre, daß die Vereine in republika-

---

[1] Vgl. o. § 6; § 8,3; § 10,3.
[2] Vgl. o. die Einleitung.

nischer Tradition standen,[3] diese aber mit dem Euergetismus der hellenistischen bzw. römischen Welt verbanden, während in den Gemeinden das Erbe der "charismatischen Wertrevolution"[4] der palästinischen Jesusbewegung wirksam wurde, wo *alle* Guppenmitglieder den gehobenen Status von Wohltätern aufwiesen. Dieser Frage können wir hier nicht weiter nachgehen. Wir können lediglich abschließend auf eine interessante Folge des unterschiedlichen Selbstverständnisses hinweisen. In der Welt der Vereine entdeckten wir besonders große Egalität gerade dort, wo es sich um arme Gruppen handelte; hier war auch eine größere Heterogenität gegeben, was die Rechtsstellung und das Geschlecht der Mitglieder betrifft. Dies scheint auf den ersten Blick gut zu dem zu passen, was sich für die paulinischen Gemeinden ermitteln ließ: noch weit größere Egalität bei noch stärkerer Heterogenität. In Wirklichkeit handelt es sich hier aber um ganz verschiedene Phänomene. Die über das für Vereine übliche hinausgehende Egalität der armen Kollegien beruhte einfach auf eben dieser Armut; eine egalitäre Verteilung der Führungsfunktionen war nicht mehr als ein Mittel, um bei gleicher Armut aller doch wenigstens minimale und vorübergehende, teilweise fiktive Statuserhöhungen zu ermöglichen.[5] In den Gemeinden dagegen betraf die Heterogenität ja nicht nur Rechtsstellung und Geschlecht, sondern u.a. auch den Besitz. Hier gab es genug bessergestellte Mitglieder, die nach Art der Amtsträger und Patrone in wohlhabenderen Vereinen auf realen und bleibenden Statusgewinn und damit auf eine stärkere Hierarchie in der Gruppe Wert legen konnten. Dennoch erfolgte eine solche Differenzierung nur in sehr geringem Ausmaß. Mit Theißens Konzept des "Liebespatriarchalismus", das für die *nach*paulinische Ära seine Berechtigung hat, läßt sich dieser hohe Grad der Integration in Paulusgemeinden nicht zureichend erfassen.[6] Ihr Ethos ist vielmehr von einer solidarischen Gruppenidentität geprägt.

---

[3] So Fellmeth, Vereine 199.
[4] Vgl. dazu Theißen, Jesusbewegung als charismatische Wertrevolution pass.
[5] Vgl.o. § 6, (2) und (3).
[6] Vgl. dazu o. § 8,2.2.3 und § 10,2.2.

Anhang: Text und Übersetzung ausgewählter Vereinsinschriften

Der Text der folgenden Inschriften ist den jeweils genannten Ausgaben (mit Ausnahme der Absätze) unverändert entnommen. Meine Übersetzungen verstehen sich lediglich als Arbeitsinstrument.[1] Kurze Besprechungen der einzelnen Vereine mit Angabe von Sekundärliteratur finden sich oben S. 26.

1. Der Kultverein des Dionysios in Philadelphia/Lydien (Ende 2./Anfang 1.Jh.v.Chr.) [2]

1 Ἀγαθῆι Τ[ύχηι]. |

Glück und Heil!

ἀνεγράφησαν ἐφ' ὑγιείαι κα[ὶ
κοινῆι σωτηρίαι] | καὶ δόξηι τῆι
ἀρίστηι τὰ δοθέ[ντα παραγγέλ-
μα-] | τα Διονυσίωι καθ' ὕπνον
5 π[ρόσοδον διδόν-] | τ' εἰς τὸν
ἑαυτοῦ οἶκον ἀνδρά[σι καὶ γυναι-
ξὶν] | ἐλευθέροις καὶ οἰκέταις·
Διὸς [γὰρ ἐν τούτωι] | τοῦ Εὐμε-
νοῦς καὶ Ἑστίας τ[ῆς παρέδρου
αὐ-] | τοῦ καὶ τῶν ἄλλων θεῶν
Σωτ[ήρων καὶ Εὐδαι-] | μονίας
καὶ Πλούτου καὶ Ἀρετῆς [καὶ
10 Ὑγιείας] | καὶ Τύχης Ἀγαθῆς
καὶ Ἀγαθοῦ [Δαίμονος καὶ Μνή-]
| μης καὶ Χαρίτων καὶ Νίκης
εἰσὶν ἱδ[ρυμένοι βωμοί]. |
τούτ[ωι] δέδωκεν ὁ Ζεὺς παρ-
αγγέλ[ματα τούς τε ἁ-] | γνισ-
μοὺς καὶ τοὺς καθαρμοὺς κ[αὶ τὰ
μυστήρια ἐπι-] | τελεῖν κατά τε

Aufgeschrieben wurden für die Gesundheit und das gemeinsame Heil und das beste Ansehen die Anweisungen, die dem Dionysios im Schlaf gegeben wurden; (auf sie hin) gewährte er Zutritt zu seinem Haus Männern und Frauen, Freien und Sklaven. Denn darin sind die Altäre des Zeus Eumenes, seiner Helferin Hestia, der übrigen Rettergottheiten, der Eudaimonia, des Plutos, der Arete, der Hygieia, der Agathe Tyche, des Agathos Daimon, der Mneme, der Chariten und der Nike errichtet worden. Diesem hat Zeus Anweisungen gegeben, die Heiligungen, die Reinigungen und die Geheimnisse durchzuführen gemäß althergebrachten Sitten und wie (sie)

---

[1] Für wertvolle Hinweise danke ich Herrn Prof.Dr. Martin Jehne und Herrn PD Dr. Kai Brodersen.
[2] Text nach Sokolowski, Lois sacrées 53-55. Englische Übersetzung bei Barton - Horsley, Cult Group 9f.

τὰ πάτρια καὶ ὡς νῦν [γέγραπ-
ται·

15 πορευ-] | όμενοι εἰς τὸν οἶκον
τοῦτον ἄνδρε[ς καὶ γυναῖκες] |
ἐλεύθεροι καὶ οἰκέται τοὺς θεοὺς
[πάντας ὀρκούσ-] | θωσαν δόλον
μηθένα μήτε ἀνδρὶ μή[τε γυναικὶ
εἰδό-] | τες μὴ φάρμακον πονηρὸν
πρὸς ἀνθ[ρώπους, μὴ ἐπωι-] |
δὰς πονηρὰς μήτε γινώσκειν
20 μ[ήτε ἐπιτελεῖν, μὴ] | φίλτρον,
μὴ φθορεῖον, μὴ [ἀτ]οκεῖον, μ[ὴ
ἄλλο τι παιδο-] | φόνον μήτε
αὐτοὺς ἐπιτελεῖν μήτε [ἑτέρωι
συμβου-] | λεύειν μηδὲ συνιστο-
ρεῖν, ἀποστερ[οῦντες δὲ μη-] |
δὲν εὐνοεῖν τῶι οἴκωι τῶιδε, καὶ
ἐὰν τ[ις τούτων τι ποι-] | ῆι ἢ
ἐπιβο[υλε]ύῃ, μήτε ἐπιτρέψειν
25 μή[τε παρασιω- | πήσ]ειν, [ἀλ]λ'
ἐμφανιεῖν καὶ ἀμυνεῖσθ[αι.

ἄνδρα παρὰ | τὴν] ἑαυτοῦ γυναῖ-
κα ἀλλοτρίαν ἢ [ἐλευθέραν ἢ] |
δούλην ἄνδρα ἔχουσαν μὴ φθε-
ρε[ῖν μηδὲ παῖδα μη- | δὲ] παρθέ-
νον μηδὲ ἑτέρωι συμβουλ[εύσειν,
ἀλλ' ἄν τι-] | νι συνιστορήσηι, τὸν
30 τοιοῦτον φα[νερὸν ποιήσειν] | καὶ
τὸν ἄνδρα καὶ τὴν γυναῖκα καὶ
μ[ὴ ἀποκρύψειν μη-] | δὲ παρα-
σιωπήσειν· γυνὴ καὶ ἀνήρ, ὅς ἄ[ν
ποιῆι τι τῶν προ-] | γεγραμ-
μένων, εἰς τὸν οἶκον τοῦτον μ[ὴ
εἰσπορευέσθω·] | θεοὶ γ[ὰ]ρ ἐν
αὐτῶι ἵδρυνται μεγάλοι καὶ τ[αῦ-

jetzt aufgeschrieben sind:

Die Männer und Frauen, Freien und Sklaven, die in dieses Haus kommen, sollen bei allen Göttern schwören, daß sie weder gegen einen Mann noch eine Frau Hinterlist kennen noch Gift, das für Menschen schädlich ist, daß sie keine schädlichen Zaubersprüche kennen oder anwenden, daß sie weder einen Liebestrank noch ein Abtreibungsmittel noch ein Verhütungsmittel noch etwas anderes, was für Kinder tödlich ist, selber anwenden noch einem anderen anraten noch davon (bei einem anderen) wissen; daß sie ohne Einschränkung diesem Hause wohlwollen; daß sie, wenn jemand eines von diesen Dingen tut oder vorhat, dies nicht zulassen und nicht verschweigen, sondern es offenbaren und abwenden.

Ein Mann soll außer mit seiner eigenen mit keiner fremden Frau, die einen Mann hat, sei sie Freie oder Sklavin, sexuell verkehren noch mit einem Knaben noch mit einer Jungfrau, auch einem anderen nicht dazu raten, sondern wenn er dies von einem weiß, soll er denjenigen offenbaren, sowohl den Mann wie die Frau, und es weder verbergen noch verschweigen. Eine Frau oder ein Mann, der etwas von dem vorher Geschriebenen tut, soll in dieses Haus nicht

τα ἐπισκοποῦ-] | σιν καὶ τοὺς
παραβαίνοντας τὰ παραγ[γέλ-
35 ματα οὐκ ἀνέ-] | ξονται.

γυναῖκα ἐλευθέραν ἁγνὴν εἶν[αι
καὶ μὴ γινώσκ-] | ειν ἄ[λ]λου
ἀνδρὸς πλὴν τοῦ ἰδίου εὐνὴ[ν ἢ
συνουσίαν· ἐ-] | ἂν δὲ γνῶι, τὴν
τοιαύτην μὴ εἶναι ἁγ[ν]ή[ν, ἀλλὰ
μεμιασμέ-] | νην καὶ μύσο[υ]ς
ἐμφυλίου πλή[ρ]η καὶ σ[έβεσθαι
ἀναξίαν] | τὸν θεὸν τοῦ[το]ν, [ο]ὗ
ταῦτα τὰ ἱερὰ ἵδρυ[ται, μηδὲ
40 θυσίαις] | παρατυγχ[άνει]ν μηδὲ
τ[οῖς] ἁγ[νι]σμοῖ[ς καὶ καθαρ-
μοῖς] | προσκόπτειν μηδὲ ὁρᾶν
ἐπιτελούμ[ενα τὰ μυστήρια·
ἐ-] | ἂν δὲ πόηι τι τούτων, ἀφ' οὗ
τὰ παρα[γγέλματα εἰς τήν-] | δε
τὴν ἀναγραφὴν ἥκουσιν, κακὰς
[ἀρὰς παρὰ τῶν] | θεῶν ἕξει [τὰ
πα]ραγγέλματα ταῦτα [παρορῶ-
45 σα· ὁ θεὸς γὰρ] | ταῦτα οὔτε
βούλεται γίνεσθαι μηθ[αμῶς, οὔτε
θέλει, ἀλ-] | λὰ κατακολουθεῖν.
οἱ θεοὶ τοῖς μὲ[ν ἀκολουθοῦσιν ἔ-
] | σονται ἵλεως καὶ δώσουσιν
αὐτο[ῖς ἀεὶ πάντα τἀγα-] | θά,
ὅσα θεοὶ ἀνθρώποις, οὕς φιλοῦσιν,
[διδόασιν· ἐὰν δέ τι-] | νες
παραβ[αί]νωσιν, τοὺς τοιούτους
50 [μισήσουσι καὶ με-] | γάλας
αὐτοῖς τιμωρίας περιθήσου[σιν.

τὰ παραγγέλμα-] | τα ταῦτα
ἐτέθησαν παρὰ Ἄγγδιστιν [τὴν

eintreten. In ihm wohnen nämlich
große Götter, die diese Dinge
beobachten und diejenigen, die die
Anordnungen übertreten, nicht
ertragen.

Eine freie Frau soll rein sein und
soll mit einem anderen Mann als
dem eigenen weder das Bett teilen
noch Umgang pflegen. Anderen-
falls soll eine solche nicht rein
sein, sondern befleckt und voll
von Schändlichkeit gegen ihre Familie und unwürdig, diesen Gott
zu verehren, dessen Heiligtümer
hier aufgestellt sind; sie darf nicht
an den Opfern teilnehmen noch die
Heiligungen und Reinigungen be-
leidigen noch den Vollzug der Geheimnisse sehen. Wenn sie aber
etwas von diesen Dingen tut,
nachdem die Anordnungen in diese Aufzeichnung gelangt sind,
werden sie von Seiten der Götter
schlimme Flüche treffen, weil sie
diese Anordnungen nicht beachtet.
Denn der Gott will keineswegs,
daß dies geschieht, noch wünscht
er es, sondern (er will, daß man)
Folge leistet. Die Götter werden
denen, die Folge leisten, gnädig
sein und werden ihnen immer alle
Güter geben, wie sie Götter den
Menschen geben, die sie lieben;
wenn aber einige übertreten, werden sie solche hassen und ihnen
große Strafen auferlegen.

Diese Anordnungen wurden aufgestellt bei Angdistis, der heiligsten

ἀγιωτάτην] | φύλακα καὶ οἰκο-
δέσποιναν τοῦδε τοῦ ο[ἴκου, ἥτις
ἀγαθὰς] | διανοίας ποιείτω ἀν-
δράσι καὶ γυναιξὶν [ἐλευθέροις
καὶ] | δούλοις, ἵνα κατακολου-
θῶσιν τοῖς ὧδε γ[εγραμμένοις,
55 καὶ ἐν] | ταῖς θυσίαις ταῖς τε
ἐμμήνοις καὶ ταῖ[ς κατὰ ἐνιαυτὸν
ἀ-] | πτέσθωσαν, ὅσοι πιστεύουσιν
ἑα[υτοῖς ἄνδρες τε καὶ | γυ-]
ναῖκες, τῆς γραφῆς ταύτης, ἐν
[ἧι τὰ τοῦ θεοῦ παραγγελ- | μα-]
τά εἰσιν γεγραμμένα, ἵνα φαν-
[εροὶ γίνωνται οἱ κατα- | κολου-]
θοῦ[ντ]ες τοῖς παραγγελ[μασιν
60 καὶ οἱ μὴ κατακολου- | θοῦν]τες.

Hüterin und Herrin dieses Hauses, die gute Gedanken bewirken möge bei Männern und Frauen, Freien und Sklaven, damit sie das hier Geschriebene befolgen. Bei den monatlichen und jährlichen Opfern sollen alle Männer und Frauen, die Vertrauen zu sich haben, diese Schrift, in der die Anordnungen des Gottes aufgeschrieben sind, anfassen, damit die offenbar werden, die diese Anordnungen befolgen, und die, die sie nicht befolgen.

[Ζεῦ] Σωτή[ρ], τὴν ἀφὴ[ν τοῦ
Διονυσίου ἵλεως καὶ | εὐμεν]ῶς
προσδέχου καὶ προ[σηνὴς αὐτῶι
καὶ τῶι γένει | πάρεχ]ε ἀγαθὰς
ἀμοιβάς, [ὑγίειαν, σωτηρίαν,
εἰρήνην, | ἀσφάλεια]ν ἐπὶ γῆς
καὶ ἐπὶ θα[λάσσης .... | -]μέ-
νοις ὁμοίως ....

Zeus Soter, nimm die Berührung des Dionysios gnädig und wohlwollend entgegen und gewähre freundlich ihm und seiner Familie gute Vergeltung, Gesundheit, Heil, Frieden, Sicherheit auf Land und Meer .... gleichermaßen ...

2. Der Begräbnisverein von Lanuvium (136 n. Chr.) [3]

[L. Ceionio] Commodo Sex. Vettuleno Civica Pompeiano cos. a. d. ∇ idus Iun. |

Im Konsulat des L. Ceionius Commodus und des Sex. Vettulenus Civica Pompeianus, am 9. Juni,

---

[3] Text nach ILS II/2,7212. Die deutsche Übersetzung von Teilen dieses Textes bei Wilken, Christen 51-53, wurde eingesehen.

1 [Lanuvi in municipio in] templo Antinoi, in quo L. Caesennius Rufus | [patronu]s municipi conventum haberi iusserat per L. Pompeium | .... um q̄q̄. cultorum Dianae et Antinoi, pollicitus est se | .... [d]aturum eis ex liberalitate sua HS XV m. n. usum,

5 die | [natali]s Dianae idib.Aug. HS CCCC n., et die natalis Antinoi, V k. | [Decemb.], HS CCCC n.; et praecepit legem ab ipsis constitutam sub tetra[stylo A]ntinoi parte interiori perscribi in verba infra scripta: |

in der Stadt Lanuvium im Tempel des Antinous, in dem L. Caesennius Rufus, der Patron der Stadt, eine Versammlung durch L. Pompeius … den Quinquennalis der Verehrer der Diana und des Antinous, abhalten ließ, versprach er (sc. Caesennius), … ihnen aus Großzügigkeit den (Zins-)Gebrauch von 15.000 Sesterzen zu schenken, (und zwar) am Geburtstag der Diana, dem 13. August, 400 Sesterzen und am Geburtstag des Antinous, dem 27. November, 400 Sesterzen; und er schrieb ihnen vor, daß ein von ihnen erstelltes Statut unten auf das Tetrastyl des Antinous, auf die innere Seite, geschrieben werden solle im weiter unten angegebenen Wortlaut:

[M. Antonio Hiber]o P. Mummio Sisenna cos. k. Ian. collegium salutare Dianae | .... et Antinoi constitutum, L. Caesennio L. f. Quir. Rufo dict. III idemq. patr. |

Im Konsulat des M. Antonius Hiberus und des P. Mummius Sisenna wurde am 1. Januar der Begräbnisverein der Diana … und des Antinous gegründet, als L. Caesennius Rufus aus der Tribus Quirina zum drittenmal Diktator und zugleich Patron war.

10 Kaput ex s. c. p. R.: Quib[us coire co]nvenire collegiumq. habere liceat. Qui stipem menstruam conferre vo- | len[t in fun]era, in it collegium coeant, neq. sub specie eius collegi nisi semel in men- | se c[oeant co]nferendi causa, unde defuncti sepeliantur. |

Ein Abschnitt aus einem Beschluß des Senats des römischen Volkes: Folgende Personen dürfen zusammenkommen, ein Treffen abhalten und einen Verein bilden: Diejenigen, die für ihr Begräbnis einen monatlichen Beitrag entrichten wollen, sollen zu diesem Zweck als Verein zusammenkommen; sie sollen aber nicht unter dem Deckmantel dieses Vereins mehr als einmal im Monat zur Zahlung (des

Beitrags) zusammenkommen, aus dem die Verstorbenen bestattet werden sollen.

[Quod fa]ust[um fe]lix salutareq.
sit imp. Caesari Traiano Hadriano
15 Aug. totiusque | [do]mus [Aug.],
nobis [n]ostris collegioq. nostro, et
bene adque industrie contraxeri-
mus, ut | [e]xitus d[efu]nctorum
honeste prosequamur! Itaq. bene
conferendo universi consentire |
debemus, u[t long]o tempore inve-
terescere possimus. > Tu qui no-
vos in hoc collegio | intrare vo-
le[s, p]rius legem perlege et sic
intra, ne postmodum queraris aut
heredi tuo | controver[si]am relin-
quas.

Glück und Heil dem Imperator Caesar Traianus Hadrianus Augustus und dem ganzen kaiserlichen Hause, uns und den unsrigen und unserem Verein; voll gutem Eifer wollen wir uns zusammentun, damit wir das Ableben der Verstorbenen ehrenvoll begehen! Deshalb müssen wir darin, daß wir gut zusammenlegen, alle eines Sinnes sein, damit wir über lange Zeit hin alt werden können. Du, der du als neues Mitglied in diesen Verein eintreten willst, lies zuvor das Statut und tritt dann ein, damit du dich nicht nachher beschwerst oder deinem Erben einen Streitfall hinterläßt.

Lexs collegi. |
20 [Placu]it universi, ut quisquis in
hoc collegium intrare voluerit, da-
bit kapitulari nomine | HS C n. et
v[ini] boni amphoram; item in
menses sing.a.V. > Item placuit,
ut quisquis mensib. | contin[uis
se]x non pariaverit et ei humanitus
acciderit, eius ratio funeris non ha-
bebitur, | etiamsi [test]amentum
factum habuerit. > Item placuit:
quisquis ex hoc corpo- | re n. pa-
riatu[s] decesserit, eum sequentur
ex arca HS CCC n., ex qua sum-
25 ma decedent exe- | quiari nomine

Vereinsstatut
Die Vollversammlung hat beschlossen, daß jeder, der diesem Verein beitreten will, als Aufnahmegebühr 100 Sesterzen und eine Amphore guten Wein abliefern muß, ebenso monatlich 5 Asse. Ebenso wurde beschlossen, daß bei jedem, der (seinen Beitrag) in sechs aufeinanderfolgenden Monaten nicht gezahlt hat und vom Los des Menschen ereilt wird, die Kosten für das Begräbnis nicht beglichen werden, auch wenn er ein (entsprechendes) Testament gemacht hat. Ebenso wurde beschlossen: Wer aus dieser unserer Gemeinschaft verstirbt und die Beiträge geleistet hat, dem werden aus der Kasse 300 Sesterzen zuge-

HS L n., qui ad rogus dividentur; exequiae autem pedibus fungentur. |

Item placuit, quisquis a municipio ultra milliar. XX decesserit et nuntiatum fuerit, eo exire debebunt | electi ex corpore n. homines tres, qui funeris eius curam agant et rationem populo reddere debebunt | sine dolo m[al]o; et si quit in eis fraudis causa inventum fuerit, eis multa esto quadruplum. Quibus | [funeraticium] eius dabitur; hoc amplius viatici nomine ultro citro sing. HS XX n. Quod si longius |

30 [a municipio su]pra mill. XX decesserit et nuntiari non potuerit, tum is qui eum funeraverit, testa- | [tor rem tabu]lis signatis sigillis civium Romanor. VII, e[t] probata causa funeraticium eius, sa- | [tis dato ampli]us neminem petiturum, deductis commodis et exequiario, e lege collegi dari | [ei debebit]. [A n. co]llegio dolus malus abesto neque patrono neque patronae neque d[omino] |

teilt; von dieser Summe gehen als Geld für das Leichenbegängnis 50 Sesterzen ab, die am Scheiterhaufen verteilt werden; das Leichenbegängnis aber erfolgt zu Fuß.

Ebenso wurde beschlossen: Wenn einer weiter als 20 Meilen von der Stadt entfernt gestorben ist und dies gemeldet wird, müssen dorthin drei ausgewählte Personen aus der Gemeinschaft hinausgehen; sie sollen für sein Begräbnis sorgen und müssen (darüber) dem (Vereins-)Volk Rechenschaft geben ohne List und Bosheit; und wenn man bei ihnen einen Betrug entdeckt, sollen sie eine vierfache Strafe erhalten. Ihnen wird das Begräbnisgeld des betreffenden ausgehändigt; dazu kommen als Wegegeld je 20 Sesterzen für den Hin- und Rückweg. Wenn einer weiter als 20 Meilen von der Stadt entfernt gestorben ist und eine Benachrichtigung nicht möglich war, dann muß dem, der ihn begraben hat, aufgrund des Vereinsstatuts das Begräbnisgeld des betreffenden, abzüglich der Sonderausgaben und des Gelds für das Leichenbegängnis, gegeben werden, wobei sichergestellt sein muß, daß niemand mehr eine Forderung erheben wird; Voraussetzung ist auch, daß er die Sache mit schriftlichen Erklärungen belegen kann, die mit den Siegeln von sieben römischen Bürgern gezeichnet sind, und daß die Sache (von der Vereinsversammlung) gebilligt wird. In unserem Verein soll es List und Bosheit nicht geben; weder ein Patron noch eine Patronin noch ein Herr

neque d[o]minae neque creditori
ex hoc collegio ulla petitio esto,
nisi siquis testamento here[s] |
nomina[tu]s erit. Si quis intestatus
decesserit, is arbitrio quinq. et po-
puli funerabitur. |

Item placuit: q[ui]squis ex hoc collegio servus defunctus fuerit, et
corpus eius a domino domi-
nav[e] | iniquitatae *(sic)* sepultu-
rae datum non fuerit neque tabellas
fecerit, ei funus imag[ina]rium
5 fiet. | > Item placuit: quisquis ex
quacumque causa mortem sibi ad-
sciveri[t], | eius ratio funeris non
habebitur. |

Item placuit, ut quisquis servus ex
hoc collegio liber factus fuerit, is
dare debebit vini | [bo]ni ampho-
ram.

> Item placuit: quisquis magister
suo anno erit ex ordine a[lbi] | ad
cenam faciendam, et non observa-
verit neque fecerit, is arcae inferet
10 HS XXX n.; | insequens eius dare
debebit, et is eius loco restituere
debebit. |

noch eine Herrin noch ein Gläu-
biger hat an diesen Verein irgend-
welche Ansprüche, es sei denn, er
wurde im Testament als Erbe genannt. Wer ohne Testament verstirbt, wird entsprechend der Entscheidung des Quinquennalis und
des (Vereins-)Volkes bestattet.

Ebenso wurde beschlossen: Wenn
einer aus diesem Verein als Sklave
verstorben ist und sein Leichnam
von seinem Herrn oder seiner Herrin ohne gerechten Grund nicht für
die Bestattung herausgegeben wird
und er nichts aufgeschrieben hat,
dann soll er ein fiktives Begräbnis
erhalten. Ebenso wurde beschlossen: Wer aus irgendeinem Grund
sich selbst das Leben genommen
hat, dessen Begräbniskosten werden nicht beglichen.

Ebenso wurde beschlossen: Wenn
ein Sklave aus diesem Verein freigelassen wird, muß er eine Amphore guten Wein spendieren.

Ebenso wurde beschlossen: Wer in
dem Jahr, in dem er aufgrund der
Abfolge der Mitgliederliste das
Amt hat, für das Vereinsmahl zu
sorgen, dieser Pflicht nicht nachkommt und es nicht tut, der muß
30 Sesterzen in die Kasse zahlen;
der (auf der Liste) folgende muß
(das Essen) geben, und er muß an
seiner Stelle einspringen (?).

Ordo cenarum: VIII id.Mar. natali Caesenni.....patris. V k. Dec. nat. Ant[inoi]. | Idib. Aug. natali Dianae et collegi. XIII k. Sept. na[t. Caese]nni Silvani fratris. Pr. n[on.].. | natali Corneliae Proculae matris. XIX k. Ian. n[at. Caes]enni Rufi patr. munic[ipi].

Ordnung der Vereinsmähler: Am 8. März, dem Geburtstag des Caesennius ... des Vaters (des Patrons). Am 27. November, dem Geburtstag des Antinous. Am 13. August, dem Geburtstag der Diana und des Vereins. Am 20. August, dem Geburtstag des Caesennius Silvanus, des Bruders (des Patrons). Am 6. (oder: 4.) ... , dem Geburtstag der Cornelia Procula, der Mutter (des Patrons). Am 14. Dezember, dem Geburtstag des Caesennius Rufus, des Patrons der Stadt.

Magistri cenarum ex ordine albi facti qu[oqu]o ordine homines 15 quaterni ponere debeb[unt]: | vini boni amphoras singulas, et panes a. II qui numerus collegi fuerit, et sardas [nu] | mero quattuor, strationem, caldam cum ministerio. |

Diejenigen, die aufgrund der Abfolge der Mitgliederliste für die Mähler zuständig sind, jeweils vier Personen, müssen (folgendes) vorsetzen: je eine Amphore guten Wein, Brote im Wert von zwei Assen in der Anzahl der Vereinsmitglieder, vier Sardinen, Gedeck, warmes Wasser mit Bedienung.

Item placuit, ut quisquis quinquennalis in hoc collegio factus fuerit, is a sigillis eius temporis, | quo quinquennalis erit, immunis esse debebit, et ei ex omnibus divisionibus partes dupl[as] | dari.

Ebenso wurde beschlossen: Wer in diesem Verein Quinquennalis wird, der muß vom Amtsantritt (?) als Quinquennalis an beitragsfrei sein, und es muß ihm bei allen Verteilungen der doppelte Anteil gegeben werden.

Item scribae et viatori a sigillis vacantibus partes ex omni divisione 20 sesquip[las] | dari placuit. |

Ebenso wurde beschlossen, daß dem Schreiber und dem Boten von den nicht besetzten Ämtern (?) bei jeder Verteilung der eineinhalbfache Anteil gegeben wird.

Item placuit, ut quisquis quinquennalitatem gesserit integre, ei ob honorem partes se[squi-] | plas ex omni re dari, ut et reliqui recte faciendo idem sperent. |

Item placuit, si quis quid queri aut referre volet, in conventu referat, ut quieti e[t] | hilares diebus sollemnibus epulemur. |

25 Item placuit, ut quisquis seditionis causa de loco in alium locum transierit, ei multa es- | to HS IIII n. > Siquis autem in obprobrium alter alterius dixerit, aut tu[mul-] | tuatus fuerit, ei multa esto HS XII n. > Si quis quinquennali inter epul[as] | obprobrium aut quid contumeliose dixerit, ei multa esto HS XX n. |

Item placuit, ut quinquennalis sui cuiusque temporis diebus sol-
30 lemn[ibus ture] | et vino supplicet et ceteris officiis albatus fungatur, et die[bus natalibus] | Dianae et Antinoi oleum collegio in balinio *(sic)* publico po[nat antequam] | epulentur.

Ebenso wurde beschlossen: Wer das Amt des Quinquennalis unbescholten verwaltet hat, dem sollen ehrenhalber eineinhalb Anteile von allem gegeben werden, damit die übrigen (für sich) aus richtigem Verhalten dasselbe erhoffen.

Ebenso wurde beschlossen: Wenn jemand eine Beschwerde oder einen Antrag vorbringen will, soll er das in der Versammlung tun, damit wir in Ruhe und Fröhlichkeit an den festlichen Tagen speisen können.

Ebenso wurde beschlossen: Wer die Ordnung stören will und von seinem Platz auf einen anderen wechselt, soll eine Strafe von vier Sesterzen erhalten. Wenn jemand einen anderen beleidigt oder Unruhe stiftet, soll er eine Strafe von 12 Sesterzen erhalten. Wenn jemand während des Mahls den Quinquennalis beleidigt oder beschimpft, soll er eine Strafe von 20 Sesterzen erhalten.

Ebenso wurde beschlossen: Der Quinquennalis soll an den Festtagen seiner (Amts-)Zeit mit Weihrauch und Wein Gebete vollziehen und die übrigen Pflichten im weißen Gewand wahrnehmen; an den Geburtstagen der Diana und des Antinous soll er für den Verein vor dem Festmahl im öffentlichen Bad Öl bereitstellen.

3. Der Verein für Aesculap und Hygia in Rom (153 n. Chr.) [4]

1 Lex collegi Aesculapi et Hygiae. |

2 Salvia C. f. Marcellina ob memoriam Fl. Apolloni proc. Aug., qui fuit a pinacothecis, et Capitonis

3 Aug. l. adiutoris | eius, mariti sui optimi piissimi, donum dedit collegio Aesculapi et Hygiae locum aediculae cum pergula et signum marmoreum Aesculapi et solarium

4 tectum iunctum, in | quo populus collegi s. s. epuletur, quod est via Appia ad Martis intra milliarum I et II ab urbe euntibus parte laeva inter adfines Vibium Calocaerum

5 et populum; item | eadem Marcellina collegio s. s. dedit donavitque HS L m. n. hominibus n. LX sub hac condicione, ut ne plures adlegantur, quam numerus s. s. et ut

6 in locum | defunctorum loca veniant et liberi adlegantur, vel si quis locum suum legare volet filio vel fratri vel liberto dumtaxat, ut

7 inferat arkae n. partem | dimidiam funeratici; et ne eam pecuniam s. s. velint in alios usus convertere, sed ut ex usuris eius sum-

Statut des Vereins des Aesculap und der Hygia.

Salvia Marcellina, die Tochter des Caius, schenkte zum Gedächtnis an Fl. Apollonius, einen Prokurator des Augustus, der Leiter der staatlichen Gemäldesammlung war, und an seinen Assistenten Capito, einen Freigelassenen des Augustus, ihren allerbesten und herzensguten Gemahl, dem Verein des Aesculap und der Hygia ein Häuschen mit Anbau, ein Aesculapbild aus Marmor und eine bedeckte Terrasse, damit die Mitglieder des genannten Vereins an diesem Ort speisen können. Das Anwesen befindet sich an der Via Appia beim Marsbild (oder: Marstempel) zwischen dem ersten und dem zweiten Meilenstein, wenn man von Rom herkommt auf der linken Seite, zwischen den angrenzenden (Grundstücken des) Vibius Calocaerus und dem öffentlichen Grund. Ebenso schenkte dieselbe Marcellina dem genannten Verein 50.000 Sesterzen für 60 Personen unter der Bedingung, daß nicht mehr aufgenommen werden als die genannte Zahl und daß die Plätze der Verstorbenen verkauft werden und Freie aufgenommen werden, oder, wenn einer seinen Platz seinem Sohn oder Bruder oder höchstens seinem Freigelassenen vermachen möchte, daß er die Hälfte des Begräbnisgelds in die Kasse zahlt; außerdem dürfen sie das genannte Geld nicht zu anderen Zwecken umwidmen, son-

---

[4] Text nach ILS II/2,7213.

mae diebus infra scriptis locum

8 confrequentarent; | ex reditu eius summae si quod comparaverint sportulas hominib. n. LX ex decreto universorum quod gestum est in templo divorum in aede divi

9 Titi con- | ventu pleno, qui dies fuit ∇ id.Mart. Bruttio Praesente et Iunio Rufino cos., uti XIII k.Oct. die felicissimo n. Antonini Aug. n. Pii p. p. sportulas divide-

10 rent: in | templo divorum in aede divi Titi C.Ofilio Hermeti qq. pp. vel qui tunc erit X III, Aelio Zenoni patri collegi X III, Salviae Marcellinae matri collegi X III,

11 imm. | sing. X II, cur. sing. X II, populo sing. X I.

dern mit den Zinsen dieser Summe sollen sie an den unten genannten Tagen an dem Ort feiern; wenn sie aus den (Zins-)Einkünften dieser Summe Geschenke gekauft haben für die 60 Personen, aufgrund des gemeinsamen Beschlusses, der im Tempelbezirk der vergöttlichten (Kaiser), im Tempel des vergöttlichten Titus, in Vollversammlung am 11. März im Konsulat von Bruttius Praesens und Iunius Rufinus gefaßt wurde, dann sollen sie am 19. September, dem höchst segensreichen Geburtstag unseres Augustus Antoninus Pius, des Vaters des Vaterlandes, Geschenke verteilen: im Tempelbezirk der vergöttlichten (Kaiser), im Tempel des vergöttlichten Titus, dem C. Ofilius Hermes, dem Quinquennalis auf Lebenszeit, oder wer es dann sein wird, 3 Denare, dem Aelius Zeno, dem Vater des Vereins, 3 Denare, der Salvia Marcellina, der Mutter des Vereins, 3 Denare, den beitragsfreien Mitgliedern je 2 Denare, den Kuratoren je 2 Denare, dem Volk je 1 Denar.

Item pl. pr. non. Nov. n. collegi dividerent ex reditu s. s. ad Martis in scholam n. praesentibus qq. X

12 VI, patri colleg. X VI, | matri collegi X VI, imm. sing. X IIII, cur. sing. X IIII, panem [a.] III; vinum mensuras qq. s. VIIII, patr. coll. s. VIIII, imm. sing. s. VI, cur. sing. s. VI, populo sing. s. III.

Ebenso wurde beschlossen, daß sie am 4. November, dem Geburtstag des Vereins, aus den oben genannten Einkünften an die beim Marsbild (oder: Marstempel) in unserem Vereinshaus Versammelten (folgende Summen) verteilen: dem Quinquennalen 6 Denare, dem Vater des Vereins 6 Denare, der Mutter des Vereins 6 Denare, den beitragsfreien Mitgliedern je 4 Denare, den Kuratoren je 4 Denare, Brot für 3 (Asse); an Wein dem Quinquennalen 9 Schoppen, dem Vater des Vereins 9 Schoppen, den beitragsfreien Mitgliedern je 6 Schoppen, den Kuratoren je 6 Schoppen, dem Volk je 3 Schoppen.

13 Item pr. non. Ian. | strenuas *(sic)* dividerent sicut s. s. est XIII k. Oct. Item VIII k. Mart. die kare cognationis ad Martis eodem loco dividerent sportulas pane et vinum
14 sicut s. s. est | prid. non. Nov. Item pr. id. Mart. eodem loco cenam, quam Ofilius Hermes qq. omnibus annis dandam praesentibus promisit, vel sportulas, sicut
15 solitus est dare. Item | XI k. Apr. die violari eodem loco praesentibus dividerentur sportulae vinu pane sicut diebus s. s. Item ∇ id. Mai. die rosae eodem loco praesentib. dividerentur spor- |
16 tulae vinu et pane sicut diebus s. s. ea condicione, qua in conventu placuit universis, ut diebus s. s. ii qui ad epulandum non convenissent, sportulae et pane et vinu |
17 eorum venirent et praesentibus divideretur, excepto eorum qui trans mare erunt vel qui perpetua valetudine detinetur.

Ebenso sollen sie am 4. Januar Neujahrsgeschenke verteilen wie oben für den 19. September angegeben. Ebenso sollen sie am 22. Februar, am Tag der lieben Verwandtschaft, beim Marsbild (oder: Marstempel) am gleichen Ort als Geschenk Brot und Wein verteilen, wie oben für den 4. November angegeben ist. Ebenso am 14. März am selben Ort ein Mahl, das der Quinquennalis Ofilius Hermes alle Jahre den Anwesenden zu geben versprochen hat, oder Geschenke, wie er sie gewöhnlich gibt. Ebenso sollen am 22. März, dem Veilchentag, am gleichen Ort an die Anwesenden Geschenke (in Form von) Wein und Brot verteilt werden wie an den oben genannten Tagen. Ebenso sollen am 11. Mai, dem Rosentag, am gleichen Ort an die Anwesenden Geschenke (in Form von) Wein und Brot verteilt werden wie an den oben genannten Tagen unter der Bedingung, die in der Versammlung von allen beschlossen wurde, daß an den oben genannten Tagen die Geschenke (in Form von) Brot und Wein derer, die nicht zum Mahl gekommen sind, verkauft werden und (das Geld) den Anwesenden verteilt wird, ausgenommen (die Geschenke) derer, die in Übersee sind oder durch ihren dauerhaft (schlechten) Gesundheitszustand abgehalten werden.

Item P. Aelius Aug. lib. Zenon |
18 eidem collegio s. s. ob memoriam M. Ulpi Aug. lib. Capitonis fratris sui piissimi dedit donavitque HS X m. n., uti ex reditu eius summae

Außerdem hat P. Aelius Zeno, ein Freigelassener des Augustus, demselben oben genannten Verein zum Gedenken an M. Ulpius Capito, einen Freigelassenen des Augustus, seinen herzensguten Bruder, ein Geschenk von 10.000 Se-

19 in contri- | butione sportularum
dividerentur.

Quod si ea pecunia omnis quae s.
s. est, quam dedit donavit collegio
20 s. s. | Salvia C.f.Marcellina et
P.Aelius Aug. lib. Zeno, in alios
usus convertere voluerint, quam in
eos usus, qui s. s. s., quos ordo
21 collegi n. decrevit et uti | haec
omnia, q. s. s. s. suis diebus ut ita
fiant dividantque, quod si adversus
ea quid fecerint sive quid ita non
22 fecerint, tunc qq. vel curato- | res
eiusdem collegi qui tunc erunt, si
adversus ea quid fecerint, qq. et
curatores s. s. uti poenae nomine
arkae n. inferant HS XX m.n. |

23 Hoc decretum ordini n. placuit in
conventu pleno, quod gestum est
in templo divorum in aede divi Titi
24 V id.Mart. G.Bruttio Prae- | sente
A. Iunio Rufino cos., qq. C. Ofi-
lio Hermete, curatorib. P. Ael.
Aug. lib. Onesimo et C.Salvio Se-
leuco.

sterzen gegeben, damit aus den
(Zins-)Einkünften dieser Summe
bei der Zuweisung von Geschenken ausgeteilt würde.

Wenn sie nun das ganze, oben genannte Geld, das dem oben genannten Verein Salvia Marcellina,
die Tochter des Caius, und P.
Aelius Zeno, Freigelassener des
Augustus, zum Geschenk gegeben
haben, zu anderen Zwecken umwidmen wollen als zu den Zwek-
ken, die oben genannt sind und die
die Mitglieder unseres Vereins
beschlossen haben, und all dies,
was oben geschrieben ist, daß es
an bestimmten Tagen zu geschehen hat und sie es so aufteilen sollen - wenn sie nun etwas dagegen
getan haben oder es so nicht getan
haben, dann sollen die, die dann
Quinquennalis oder Kuratoren desselben Vereins sein werden, wenn
sie etwas dagegen getan haben, die
oben genannten Quinquennalen
und Kuratoren als Strafe in unsere
Kasse 20.000 Sesterzen zahlen.

Dieser Beschluß ist von unseren
Mitgliedern in Vollversammlung
beschlossen worden im Tempelbe-
zirk der veröttlichten (Kaiser), im
Tempel des vergöttlichten Titus,
am 11. März im Konsulat von G.
Bruttius Praesens und A. Iunius
Rufinus, unter dem Quinquennalis
C. Ofilius Hermes und den Kura-
toren P. Ael. Onesimus, Freigelas-
sener des Augustus, und C.Salvius
Seleucus.

4. Der Verein der Iobacchen in Athen (178 n. Chr.) [5]

1 ἀγαθῇ τύχῃ. |

Glück und Heil!

ἐπὶ ἄρχοντος Ἀρ(ρίου) Ἐπαφρο-
δείτου, μηνὸς | Ἐλαφηβολιῶνος
η΄ ἑσταμένου, ἀγορὰν | συνήγα-
γεν πρώτως ὁ ἀποδειχθεὶς |
5 ἱερεὺς ὑπὸ Αὐρ. Νεικομάχου, τοῦ
ἀνθι- | ερασαμένου ἔτη ιζ΄ καὶ
ἱερασαμένου | ἔτη κγ΄ καὶ παρα-
χωρήσαντος ζῶντος | εἰς κόσμον
καὶ δόξαν τοῦ Βακχείου | τῷ
κρατίστῳ Κλα. Ἡρώδῃ, ὑφ' οὗ
10 ἀνθιερεὺς | ἀποδειχθεὶς [ἀν]έγ-
νω δόγματα τῶν | ἱερασαμένων,
Χρυσίππου καὶ Διονυσίου, | καὶ
ἐπαινέσαντος τοῦ ἱερέως καὶ τοῦ
ἀρ- | χιβάκχου καὶ τοῦ προστάτου
ἐξ(εβόησαν)· 'τούτοις | ἀεὶ χρώ-
μεθα', 'καλῶς ὁ ἱερεύς', 'ἀνάκ-
15 τησαι | [τ]ὰ δόγματα','σοὶ πρέ-
πει','εὐστάθειαν τῷ | Βακχείῳ
καὶ εὐκοσμίαν','ἐν στήλῃ τὰ δό- |
γματα','ἐπερώτα'. ὁ ἱερεὺς εἶ-
πεν· "ἐπεὶ καὶ | ἐμοὶ καὶ τοῖς
συνιερεῦσί μο[υ] καὶ ὑ- | μεῖν
πᾶσιν ἀρέσκει, ὡς ἀξιοῦτε ἐπε- |
20 ρωτήσομεν". καὶ ἐπηρώτησεν ὁ
πρό- | εδρος Ῥοῦφος Ἀφροδει-
σίου· 'ὅτῳ δοκεῖ | κύρια εἶναι τὰ
ἀνεγνωσμένα δόγμα- | τα καὶ ἐν
στήλῃ ἀναγραφῆναι, ἀράτω |
τὴν χεῖρα'. πάντες ἐπῆραν.
25 ἐξ(εβόησαν)· 'πολλοῖς | ἔτεσι

In der Amtszeit des Archonten Ar-
rios Epaphroditos berief am 8. Tag
des Monats Elaphebolion zum ersten Mal der von Aur. Nikomachos ernannte Priester eine Versammlung ein. Nikomachos war
18 Jahre lang stellvertretender
Priester und 23 Jahre lang Priester
gewesen und zu Lebzeiten für den
Ruhm und die Ehre des Bacchusvereins zugunsten des ehrwürdig-
sten Claudius Herodes von seinem
Amt zurückgetreten. Nachdem er
von diesem zum stellvertretenden
Priester ernannt worden war, las
er die Beschlüsse der früheren
Priester Chrysippos und Dionysios
vor. Als der Priester, der Archi-
bakchos und der Patron sie gebilligt hatten, wurden Rufe laut: 'An
diese wollen wir uns immer halten!', 'Hoch der Priester!', 'Setze
die Beschlüsse wieder in Kraft!',
'Dir kommt es zu!', 'Gedeihen
und Ordnung für die Bacchus-
gesellschaft!', 'Die Beschlüsse auf
die Säule!', 'Stelle die Frage!'.
Der Priester sagte: 'Weil es mir,
meinen Mitpriestern und euch allen richtig erscheint, wollen wir
die Frage stellen, wie ihr es
wünscht.' Daraufhin stellte der
Prohedros Rufus Aphrodisios die
Frage: 'Jeder, der dafür ist, daß
die vorgelesenen Statuten gültig
sein und auf die Säule geschrieben
werden sollen, hebe seine Hand!'
Alle hoben sie. Sie riefen: 'Lang
lebe der ehrwürdigste Priester He-

---

[5] Text nach SIG³/⁴ III,1109. Die deutschen Übersetzungen von Teilen dieses Texts bei Tod, Streiflichter 57-62, und Wilken, Christen 55-58, wurden eingesehen.

τὸν κράτιστον ἱερέα Ἡρώδην', | 'νῦν εὐτυχεῖς, νῦν πάντων πρῶ- τοι | τῶν Βακχείων', 'καλῶς ὁ ἀνθιερεύς', 'ἡ στή- | λη γενέστω'. ὁ ἀνθιερεὺς εἶπε· " ἔσται ἡ | στήλη ἐπὶ τοῦ κείονος, καὶ 30 ἀναγραφή- | σονται· εὐτονήσουσι γὰρ οἱ προεστῶ- | τες τοῦ μηδὲν αὐτῶν λυθῆναι."

rodes!', 'Jetzt ist's geschafft, jetzt sind wir die ersten aller Bacchusgesellschaften!', 'Hoch der stellvertretende Priester!', 'Her mit der Säule!'. Der stellvertretende Priester sagte: 'Die Säule soll auf dem Pfeiler stehen, und (die Beschlüsse) werden daraufgeschrieben; denn die Vorsteher werden darauf achten, daß nichts davon verletzt wird.'

II μηδενὶ ἐξέστω ἰόβακχον εἶναι, ἐὰν μὴ | πρῶτον απογράψηται παρὰ τῷ ἱερεῖ | τὴν νενομισμένην 35 ἀπογραφὴν καὶ | δοκιμασθῇ ὑπὸ τῶν ἰοβάκχων ψή- | φῳ, εἰ ἄξιος φαίνοιτο καὶ ἐπιτήδειος | τῷ Βακχείῳ. ἔστω δὲ τὸ ἰσηλύσιον | τῷ μὴ ἀπὸ πατρὸς * ν΄ καὶ σπον- δή. | ὁμοίως καὶ οἱ ἀπὸ πατρὸς 40 ἀπογραφέ- | σθωσαν ἐπὶ * κε΄ διδόντες ἡμιφόριον | μέχρις ὅτου πρὸς γυναῖκας ὦσιν. |

Keiner darf Iobacche sein, wenn er nicht zuerst beim Priester die übliche schriftliche Bewerbung einreicht und es von den Iobacchen durch Abstimmung beurteilt wird, ob er würdig und geeignet für den Bacchusverein ist. Die Aufnahmegebühr soll für einen, der nicht vom Vater her (Mitgliedschaft beantragt), 50 Denare und ein Trankopfer betragen. Eine ähnliche Bewerbung sollen die stellen, die vom Vater her Mitgliedschaft beantragen; sie sollen 25 Denare und dazu den halben Mitgliedsbeitrag zahlen, bis sie geschlechtsreif sind.

συνίτωσαν δὲ οἱ ἰόβακχοι τάς τε ἐνά- | τας καὶ τὰς ἀμφιετηρίδας καὶ Βακχεῖ- | α καὶ εἴ τις πρόσ- 45 καιρος ἑορτὴ τοῦ θεοῦ, | ἕκαστος ἢ λέγων ἢ ποιῶν ἢ φιλοτει- | μούμενος, καταβάλλων μηνι- αίαν | τὴν ὁρισθεῖσαν εἰς τὸν οἶνον φοράν· | ἐὰν δὲ μὴ πληροῖ, εἰργέσθω τῆς στιβά- | δος, καὶ 50 εὐτονείτωσαν οἱ τῷ ψηφίσμα- | τι ἐνγεγραμμένοι, χωρὶς ἢ αποδη- μίας | ἢ πένθους ἢ νόσου ἤ (εἰ) σφόδρα ἀνανκαῖός | τις ἦν ὁ προσδεχθησόμενος ἰς τὴν στι- βά- | δα, κρεινάντων τῶν ἱερέων.

Die Iobacchen sollen sich am Neunten (jedes Monats), beim Jahresfest, beim Bacchusfest und bei außer der Reihe angesetzten Festen des Gottes versammeln; jeder soll sich daran durch Rede, Tat oder ehrenvollen Eifer (beteiligen) und den festgesetzten Monatsbeitrag für den Wein zahlen. Wenn er seinen Beitrag nicht entrichtet, soll er von der Versammlung ferngehalten werden; darauf sollen die achten, die im schriftlichen Beschluß genannt sind, außer, wenn er verreist war oder im Fall von Trauer oder Krankheit, oder wenn einer, der zur Versammlung zugelassen werden soll, unter zwingender Not-

ἐὰν δὲ ἰοβάκ- | χου ἀδελφὸς ἰσέρ-
χηται ψήφῳ δοκιμασθείς, |
55 διδότω * ν΄. ἐὰν δὲ ἱερὸς παῖς
ἐξωτικὸς καθεσ- | θεὶς ἀναλώσῃ
τὰ πρὸς τοὺς θεοὺς καὶ τὸ Βακ-
χεῖον, | ἔστω μετὰ τοῦ πατρὸς
ἰόβακχος ἐπὶ μιᾷ | σπονδῇ τοῦ
πατρός.

Wenn aber der Bruder eines Iobacchen durch Abstimmung für würdig befunden wird und beitritt, soll er 50 Denare bezahlen. Wenn ein (in die Mysterien) eingeweihter junger Mann aus dem Ausland kommt und das Geld für die Götter und für den Bacchusverein beibringt, soll er mit seinem Vater Iobacche sein und das Trankopfer mit seinem Vater zusammen darbringen.

τῷ δὲ ἀπογραψαμένῳ | καὶ
ψηφοφορηθέντι διδότω ὁ ἱερεὺς
60 ἐπισ- | τολὴν ὅτι ἐστὶν ἰόβακχος,
ἐὰν πρῶτον | δοῖ τῷ ἱερεῖ τὸ
ἰσηλύσιον, ἐνγραφομένου | τῇ
ἐπιστολῇ τὰ χωρήσαντα εἰς τὸ
δε(λ)τί(ον). |

Jedem, der seine Bewerbung eingereicht hat und durch Abstimmung aufgenommen wurde, soll der Priester eine Bescheinigung darüber geben, daß er ein Iobacche ist, allerdings erst, wenn er dem Priester die Aufnahmegebühr bezahlt hat; in die Bescheinigung soll (der Priester) eintragen, was (von diesem Betrag) für das Täfelchen abgeht.

οὐδενὶ δὲ ἐξέσται ἐν τῇ στιβάδι
οὔτε ᾆσαι | οὔτε θορυβῆσαι οὔτε
65 κροτῆσαι, μετὰ δὲ | πάσης
εὐκοσμίας καὶ ἡσυχίας τοὺς
μερισ- | μοὺς λέγειν καὶ ποιεῖν,
προστάσσοντος | τοῦ ἱερέως ἢ
τοῦ ἀρχιβάκχου. μηδενὶ | ἐξέστω
τῶν ἰοβάκχων τῶν μὴ συντελε-
| σάντων εἴς τε τὰς ἐνάτας καὶ
70 ἀμφιετηρί- | δας εἰσέρχεσθαι ἰς
τὴν στιβάδα μέχρις ἂν | ἐπικριθῇ
αὐτῷ ὑπὸ τῶν ἱερέων ἢ ἀπο- |
δοῦναι αὐτὸν ἢ ἰσέρχεσθαι. μάχης
δὲ | ἐάν τις ἄρξηται ἢ εὑρεθῇ τις
ἀκοσμῶν ἢ | ἐπ᾽ ἀλλοτρίαν
κλισίαν ἐρχόμενος ἢ ὑβρί- | ζων ἢ
75 λοιδορῶν τινα, ὁ μὲν λοιδορη- |

Bei der Versammlung darf keiner singen, Unruhe stiften oder applaudieren, sondern jeder soll in aller Gesittung und Ruhe seine Rolle sprechen und spielen, unter der Leitung des Priesters oder des Archibacchus. Keiner der Iobacchen, die ihre Beiträge für den Neunten und das Jahresfest nicht eingezahlt haben, darf zur Versammlung kommen, bis ihm von den Priestern beschieden wird, daß er zahlen muß oder teilnehmen darf. Wenn einer einen Streit beginnt oder offenkundig die gute Ordnung verletzt oder den Platz eines anderen einnimmt oder jemanden verhöhnt oder beschimpft, so soll der Beschimpfte oder Verhöhnte zwei Iobacchen beibringen, die beschwören, daß sie die

θεὶς ἢ ὑβρισθεὶς παραστανέτω δύο ἐκ | τῶν ἰοβάκχων ἐνόρκους, ὅτι ἤκου- | σαν ὑβριζόμενον ἢ λοιδο- ρούμενον, | καὶ ὁ ὑβρίσας ἢ λοιδορήσας ἀποτιν[νύ-] | τω τῷ

80 κοινῷ λεπτοῦ δρ(αχμὰς) κεʹ, ἢ ὁ αἴτιος | γενόμενος τῆς μάχης ἀποτιννύτω | τὰς αὐτὰς δρ. κεʹ, ἢ μὴ συνίτωσαν ἰς τοὺς | ἰοβάκ- χους μέχρις ἂν ἀποδῶσιν. |

ἐὰν δέ τις ἄχρι πληγῶν ἔλθῃ,
85 ἀπογραφέστω | ὁ πληγεὶς πρὸς τὸν ἱερέα ἢ τὸν ἀνθιερέα, | ὁ δὲ ἐπάνανκες ἀγορὰν ἀγέτω, καὶ ψή- | φῳ οἱ ἰόβακχοι κρεινέτωσαν προηγου- | μένου τοῦ ἱερέως, καὶ προστειμάσθω | πρὸς χρόνον μὴ
90 εἰσελθεῖν ὅσον ἂν δό- | ξῃ καὶ ἀργυρίου μέχρι * κεʹ. ἔστω δὲ | τὰ αὐτὰ ἐπιτείμια καὶ τῷ δαρέντι καὶ | μὴ ἐπεξελθόντι παρὰ τῷ ἱερεῖ ἢ τῷ | ἀρχιβάκχῳ, ἀλλὰ δημοσίᾳ ἐνκαλέσαν- | τι. ἐπιτεί- μια δὲ ἔστω τὰ αὐτὰ τῷ εὐκόσ- |
95 μῳ μὴ ἐκβαλόντι τοὺς μαχομέ- νους. | εἰ δέ τις τῶν ἰοβάκχων, εἰδὼς ἐπὶ τοῦ- | το ἀγορὰν ὀφείλουσαν ἀχθῆναι, μὴ ἀ- | παντήσῃ, ἀποτεισάτω τῷ κοινῷ λε- | πτοῦ δρ. νʹ. ἐὰν δὲ ἀπειθῇ
100 πρασσόμε- | νος, ἐξέστω τῷ ταμίᾳ κωλῦσαι αὐτὸν | τῆς εἰσ- όδου τῆς εἰς τὸ Βακχεῖον μέ- | χρις ἂν ἀποδοῖ. ἐὰν δέ τις τῶν | εἰσερχομένων τὸ ἰσηλύσιον μὴ | διδοῖ τῷ ἱερεῖ ἢ τῷ ἀνθιερεῖ,
105 εἰργέσ- | θω τῆς ἑστιάσεως μέχρις ἂν ἀπο- | δοῖ, καὶ πρασσέσθω ὅτῳ ἂν τρόπῳ | ὁ ἱε-

Verhöhnung oder Beschimpfung gehört haben; der Urheber der Verhöhnung oder Beschimpfung soll der Gemeinschaft 25 leichte Drachmen zahlen; der für den Streit Verantwortliche soll die gleichen 25 leichten Drachmen zahlen; sie dürfen nicht an der Versammlung der Iobacchen teilnehmen, bis sie bezahlt haben.

Wenn einer soweit geht, daß er Schläge austeilt, soll der Geschlagene es dem Priester oder dem stellvertretenden Priester melden; dieser soll unbedingt eine Versammlung einberufen, und unter Vorsitz des Priesters sollen die Iobacchen über das Urteil abstimmen; der betreffende soll zur Strafe eine zu bestimmende Zeit lang nicht teilnehmen dürfen und bis zu 25 Silberdenare zahlen. Die gleiche Strafe soll dem Geschlagenen gelten, wenn er nicht beim Priester oder Archibacchus (gegen den anderen) vorgeht, sondern öffentlich Klage erhebt. Die gleiche Strafe soll dem für Ruhe und Ordnung zuständigen Amtsträger gelten, wenn er die an der Schlägerei Beteiligten nicht hinauswirft. Wenn ein Iobacche wußte, daß zu diesem Zweck eine verpflichtende Versammlung abgehalten wird, und er sich trotzdem nicht einfindet, soll er der Gemeinschaft 50 leichte Drachmen zahlen. Wenn er der Zahlungsaufforderung nicht Folge leistet, soll der Schatzmeister ihm den Zugang zum Bacchusverein verwehren dürfen, bis er zahlt. Wenn eines von den neuen Mitgliedern dem Priester oder dem stellvertretenden Priester die Aufnahmegebühr nicht bezahlt, soll er vom Festmahl ausge-

ρεὺς κελεύσῃ. μηδεὶς δ᾽ ἔπος |
φωνείτω μὴ ἐπιτρέψαντος τοῦ ἱε-
| ρέως ἢ τοῦ ἀνθιερέως, ἢ ὑπεύ-
110 θυνος | ἔστω τῷ κοινῷ λεπτοῦ
δρ(αχμῶν) λ᾽. |

ὁ ἱερεὺς δὲ ἐπιτελείτω τὰς
ἐθίμους | λιτουργίας στιβάδος
καὶ ἀμφιετη- | ρίδος εὐπρεπῶς
καὶ τιθέτω τὴν | τῶν καταγωγίων
115 σπονδὴν στι- | βάδι μίαν καὶ
θεολογίαν, ἣν ἦρ- | ξατο ἐκ
φιλοτειμίας ποιεῖν ὁ ἱε- | ρασά-
μενος Νεικόμαχος. ὁ δὲ ἀρχί- |
βακχος θυέτω τὴν θυσίαν τῷ |
θεῷ καὶ τὴν σπονδὴν τιθέτω |
120 κατὰ δεκάτην τοῦ Ἐλαφηβολι- |
ῶνος μηνός. μερῶν δὲ γεινομέ- |
νων αἱρέτω ἱερεύς, ἀνθιερεύς, |
ἀρχίβακχος, ταμίας, βουκολι-
κός, | Διόνυσος, Κόρη, Παλαί-
125 μων, Ἀφρο- | δείτη, Πρωτεύρυθ-
μος· τὰ δὲ ὀνό- | ματα αὐτῶν
συνκληρούσθω | πᾶσι.

ὃς δ' ἂν τῶν ἰοβάκχων λάχῃ κλῆ-
| ρον ἢ τειμὴν ἢ τάξιν, τιθέτω
τοῖς ἰο- | βάκχοις σπονδὴν ἀξίαν
130 τῆς τάξεως, | γάμων,
γεννήσεως, Χοῶν, ἐφηβείας, |
πολειτείας, ῥαβδοφορίας, βουλεί-
ας, ἀ- | θλοθεσίας, Πανέλληνος,
γερουσίας, | θεσμοθεσίας, ἀρχῆς
ἧσδηποτεοῦν, | συνθυσίας,
εἰρηναρχίας, ἱερονείκου, | καὶ εἴ
135 τίς τι ἐπὶ τὸ κρεῖσσον ἰόβακχος
ὢν | τύχοιτο.

schlossen werden, bis er bezahlt,
und von ihm soll (das Geld) auf
die Weise eingetrieben werden,
die der Priester festlegt. Keiner
darf ohne Erlaubnis des Priesters
oder des stellvertretenden Priesters
eine Rede halten; andernfalls
schuldet er der Gemeinschaft 30
leichte Drachmen.

Der Priester soll bei der
Versammlung und beim Jahresfest
den gewohnten Gottesdienst in an-
gemessener Weise vollziehen und
soll der Gemeinschaft ein Trankopfer für die Rückkehr (des Bac-
chus) vorsetzen und eine Predigt
halten, wie sie der frühere Priester
Nikomachos aus ehrenvollem Eifer
eingeführt hat. Der Archibacchus
soll dem Gott das Opfer darbringen und am 10. des Monats Elaphebolion das Trankopfer vorsetzen. Nach der Verteilung der Portionen sollen der Priester, der
stellvertretende Priester, der Archibacchus, der Schatzmeister, der
Bukolikos, Dionysos, Kore, Palai-
mon, Aphrodite und Proteu-
rhythmos sie an sich nehmen; ihre
Namen sollen unter allen ausgelost
werden.

Wenn ein Iobacche ein Erbe, eine
Auszeichnung oder eine Ernennung erhält, soll er den Iobacchen
ein Trankopfer vorsetzen, das der
Ernennung entspricht: Heirat, Geburt, Choes, Ephebie, Bürgerrecht, das Amt eines Stabträgers,
einen Sitz im Rat, das Amt eines
Athlotheten oder eines Panhel-
lenen, einen Sitz im Ältestenrat,
das Amt eines Thesmotheten, ein
sonstiges öffentliches Amt, die Ernennung zum Synthyten, zum Ei-
renarchen, zum Hieroniken, und
wenn sonst ein Iobacche irgend-
eine Beförderung erhält.

εὔκοσμος δὲ κληρούσθω ἢ καθ- ισ- | τάσθω ὑπὸ τοῦ ἱερέως, ἐπι- φέρων τῷ ἀκοσ- | μοῦντι ἢ θορυβοῦντι τὸν θύρσον τοῦ θε- | οῦ. ᾧ δὲ ἂν παρατεθῇ ὁ θύρσος, 140 ἐπικρεί- | ναντος τοῦ ἱερέως ἢ τοῦ ἀρχιβάκχου | ἐξερχέσθω τοῦ ἑστιατορείου. ἐὰν δὲ ἀ- | πειθῇ, αἱρέτωσαν αὐτὸν ἔξω τοῦ πυλῶ- | νος οἱ κατασταθησόμενοι ὑπὸ τῶν | ἱερέων ἵπποι, καὶ ἔστω 145 ὑπεύθυνος | τοῖς περὶ τῶν μαχο- μένων προστεί- | μοις.

Der für Ruhe und Ordnung zuständige Amtsträger soll ausgelost oder vom Priester eingesetzt werden; er soll zu einem, der über die Stränge schlägt oder Unruhe stiftet, den Thyrsos des Gottes bringen. Der, neben den der Thyrsos gelegt wird, soll entsprechend der Entscheidung des Priesters oder des Archibacchus den Festsaal verlassen. Wenn er nicht gehorcht, sollen ihn die von den Priestern eingesetzten "Pferde" vor die Tür setzen; er ist zur Zahlung der Strafe für Streithähne verpflichtet.

ταμίαν δὲ αἱρείσθωσαν οἱ ἰό- βακ- | χοι ψήφῳ εἰς διετίαν, καὶ παραλαμβα- | νέτω πρὸς ἀνα- γραφὴν τὰ τοῦ Βακχεί- | ου πάντα, καὶ παραδώσει ὁμοίως 150 τῷ | μετ' αὐτὸν ἐσομένῳ ταμίᾳ. παρεχέτω | δὲ οἴκοθεν τὸ θερμόλυχνον τάς τε ἐ- | νάτας καὶ ἀμφιετηρίδα καὶ στιβάδα, | καὶ ὅσαι ἔθιμοι τοῦ θεοῦ ἡμέραι, καὶ τὰς | ἀπὸ κλήρων ἢ τειμῶν ἢ 155 τάξε- | ων ἡμέρας. αἱρείσθω δὲ γραμμα- | τέα, ἐὰν βούληται, τῷ ἰδίῳ κινδύνῳ, | συνκεχωρήσθω δὲ αὐτῷ ἡ ταμιευ- | τικὴ σπονδὴ καὶ ἔστω ἀνείσφορος | τὴν διετίαν.

Einen Schatzmeister sollen die Iobacchen durch Abstimmung für zwei Jahre wählen; er soll entsprechend einem Verzeichnis das gesamte Gut des Bacchusvereins übernehmen und soll ihn ebenso dem übergeben, der nach ihm Schatzmeister sein wird. Er soll aus seiner Tasche das Lampenöl an den Neunten und am Jahresfest und bei der Versammlung bereitstellen und an allen üblichen Tagen des Gottes und an den Tagen, die aufgrund von Erbfällen oder Ehrungen oder Ernennungen (dazukommen). Er soll, wenn er will, auf eigenes Risiko einen Sekretär wählen; das Trankopfer als Schatzmeister soll ihm bewilligt werden, und er soll für zwei Jahre beitragsfrei sein.

160 ἐὰν δὲ τις τελευτή- | σῃ ἰόβακ- χος, γεινέσθω στέφανος αὐ- | τῷ μέχ(ρ)ι * ε', καὶ τοῖς ἐπιταφή- σασι τι- | θέσθω οἴνου κεράμιον ἕν, ὁ δὲ μὴ | ἐπιταφήσας εἰρ- γέσθω τοῦ οἴνου.

Wenn ein Iobacche stirbt, soll er einen Kranz bis zum Wert von fünf Denaren erhalten; denen, die an seinem Begräbnis teilnehmen, soll ein Krug Wein vorgesetzt werden; wer nicht am Begräbnis teilnimmt, soll keinen Wein bekommen.

Literaturverzeichnis

Die Abkürzungen der Quellen richten sich nach ThWNT I, 1*-24*, die der Sekundärliteratur nach S.M. Schwertner, Internationales Abkürzungsverzeichnis für Theologie und Grenzgebiete, Berlin ²1992.
Sekundärliteratur wird in den Anmerkungen in der Regel mit Verfassernamen und Kurztitel (d.h. dem ersten charakteristischen Wort des Titels, in Zweifelsfällen auch mehreren Wörtern) zitiert. Wo durch den Zusammenhang ein besonderes Interesse an weiteren bibliographischen Angaben besteht (also insbes. in Teil 1), sind Untertitel, Erscheinungsjahr o.ä. beigefügt. Nur wo ein Titel in zwei aufeinanderfolgenden Anmerkungen erscheint, wird er durch "aaO." bzw. "ebd." ersetzt.

Alföldy, G., Römische Sozialgeschichte (Wissenschaftl. Paperbacks 8, Sozial- und Wirtschaftsgeschichte), Wiesbaden 1975.
Ausbüttel, F.M., Untersuchungen zu den Vereinen im Westen des Römischen Reiches (Frankfurter Althistor. Studien 11), Kalbmünz 1982.
Baird, W., 'One Against the Other': Intra-Church Conflict in 1 Corinthians, in: Fortna R. - Gaventa B. (Hrsg.), The Conversation Continues, Philadelphia 1990, 116-36.
Banks, R., Paul's Idea of Community. The Early House Churches in Their Historical Setting, Michigan ²1988.
Barclay, J.M.G., Thessalonika and Corinth: Social Contrasts in Pauline Christianity, in: JSNT 47 (1992) 49-74.
Barton, S.C. - Horsley, G.H.R., A Hellenistic Cult Group and the New Testament Churches, in: JAC 24 (1981) 7-41.
Baumert, N., Charisma und Amt bei Paulus, in: BEThL 73 (1986) 203-228.
Becker, J., Paulus. Der Apostel der Völker, Tübingen 1989.
Biró, J., Das Collegium funeraticium in Alburno maiore, in: Andreew M. u.a. (Hrsg.), Gesellschaft und Recht im griechisch-römischen Altertum. Teil 2, Berlin 1969, 1-19.
Blasi, A.J., Early Christianity as a Social Movement (TStR 5), New York 1988.
Bleicken, J., Die Verfassung der Römischen Republik. Grundlagen und Entwicklung (UTB 460), Paderborn 1975.
-, Verfassungs- und Sozialgeschichte des Römischen Kaiserreiches. 2 Bde. (UTB 838/839), Paderborn 1978.
Bömer, F., Untersuchungen über die Religion der Sklaven in Griechenland und Rom. 4 Bde. (AAWLM.G 1957/7-1963/10), Wiesbaden 1958-1963.
Bormann, L., Philippi. Stadt und Christengemeinde zur Zeit des Paulus (NT.S 78), Leiden 1995.
Bornkamm, G., Herrenmahl und Kirche bei Paulus, in: ders., Studien zu Antike und Urchristentum. Gesammelte Aufsätze II (BEvTh 28), München 1959, 138-176.
Botermann, H., Paulus und das Urchristentum in der antiken Welt, in: ThRu 56 (1991) 296-305.
Burford, A., Craftsmen in Greek and Roman Society. Aspects of Greek and Roman Life, London 1972.
Campbell, R.A., Does Paul Acquiesce in Divisions at the Lord's Supper?, in: NT 33 (1991) 61-70.
Carcopino, J., Das Alltagsleben im Alten Rom zur Blütezeit des Kaisertums (Das Alltagsleben 1), Wiesbaden 1950.
Chapple, A.L., Local Leadership in the Pauline Churches: Theological and Social Factors in Its Development: A Study Based on 1 Thessalonians, 1 Corinthians and Philippians, Diss. Durham University 1984.
Chow, J.K., Patronage and Power. A Study of Social Networks in Corinth (JStNT.S 75), Sheffield 1992.

Clarke, A.D., Secular and Christian Leadership in Corinth. A Socio-Historical and Exegetical Study of 1 Corinthians 1-6 (AGJU 18), Leiden 1993.

Conzelmann, H., Grundriß der Theologie des Neuen Testaments (EETh 2), München 1967.

---, Der erste Brief an die Korinther (KEK 5^{12}), Göttingen ^{2}1981.

Corpus Iuris Civilis I: Institutiones, hrsg. v. P. Krüger. Digesta, hrsg. v. Th. Mommsen, Berlin 1877.

Countryman, L.W., Patrons and Officers in Club and Church, in: SBL.SP 1977, Missoula 1977, 135-143.

Deißmann, A., Das Urchristentum und die unteren Schichten, in: VESK 19, Göttingen 1908, 8-28.

Dessau, H. (Hrsg.), Inscriptiones Latinae Selectae II/2, Dublin ^{4}1974.

Dill, S., Roman Society from Nero to Marcus Aurelius, New York ^{4}1960.

Dionysius of Halicarnassus, The Roman Antiquities, with an English translation by E. Cary. 7 vols. (LCL), Cambridge 1937-1950.

Dittenberger, W. (Hrsg.), Sylloge Inscriptionum Graecarum. Bd.III, Hildesheim ^{4}1960 (= ^{3}1920).

Dobschütz, E.v., Die urchristlichen Gemeinden. Sittengeschichtliche Bilder, Leipzig 1902.

Eisenstadt, S.N. - Roniger, L., Patrons, Clients and Friends. Interpersonal Relations and the Structure of Trust in Society (Themes in Social Sciences), Cambridge 1984.

Engberg-Pedersen, T., The Gospel and Social Practice According to I Corinthians, in: NTS 33 (1987) 557-584.

Engelmann, H. (Hrsg.), Die Inschriften von Kyme (Inschriften griechischer Städte aus Kleinasien 5), Bonn 1976.

Engels, D., Roman Corinth: An Alternative Model for the Classical City, Chicago 1990.

Fellmeth, U., Die römischen Vereine und die Politik. Untersuchungen zur sozialen Schichtung und zum politischen Bewußtsein der städtischen Volksmassen in Rom und Italien, Stuttgart (Mikrofiche) 1987.

-, Politisches Bewußtsein in den Vereinen der städtischen Massen in Rom und Italien zur Zeit der Republik und der frühen Kaiserzeit, in: Eirene 27 (1990) 49-71.

Finley, M., The Ancient Economy, Berkeley 1973.

Foucart, P., Des associations religieuses chez les Grecs. Thiases, Éranes, Orgéons, Paris 1873.

Fox, R.L., Pagans and Christians, New York ^{2}1987.

Funk, A., Status und Rollen in den Paulusbriefen. Eine inhaltsanalytische Untersuchung zur Religionssoziologie (IThS 7), Innsbruck 1981.

Garnsey, P. - Saller, R., Das römische Kaiserreich. Wirtschaft - Gesellschaft - Kultur (rowohlts enzyklopädie), Reinbek 1989.

Gnilka, J., Der Philemonbrief (HThK X/4), Freiburg 1982.

Gradenwitz, O., Das Statut für die Zunft der Elfenbeinarbeiter, in: ZSRG.R 11 (1890) 72-83.

Hainz, J., Ekklesia. Strukturen paulinischer Gemeinde-Theologie und Gemeinde-Ordnung (BU 9), Regensburg 1972.

Harris, G., The Beginnings of Church Discipline: 1 Corinthians 5, in: NTS 37 (1991) 1-21.

Hatch, E., Die Gesellschaftsverfassung der christlichen Kirchen im Alterthum. Acht Vorlesungen, übs. v. A. Harnack, Gießen 1883.

Heinrici, C.F.G., Das erste Sendschreiben des Apostels Paulus an die Korinthier. Erklärung der Korinthierbriefe in zwei Bänden. Bd.I, Berlin 1880.

-, Der erste Brief an die Korinther (KEK 5^8), Göttingen ^{3}1896.

-, Die Christengemeinden Korinths und die religiösen Genossenschaften der Griechen, in: ZWTh 19 (1876) 465-526.

-, Zur Geschichte der Anfänge paulinischer Gemeinden, in: ZWTh 20 (1877) 89-130.

-, Zum genossenschaftlichen Charakter der paulinischen Christengemeinden, in: ThStKr 54 (1881 [= 1971]) 505-524.

Herrmann, P., Art.: Genossenschaft A. Griechisch, in: RAC 10 (1978) 84-99.

117

Hofius, O., Herrenmahl und Herrenmahlsparadosis. Erwägungen zu 1 Kor 11,23b-25, in: ZThK 85 (1988) 371-408.

Holmberg, B., Paul and Power. The Structure of Authority in the Primitive Church as Reflected in the Pauline Epistels (CB.NT 11), Diss. Lund 1978.

-, Sociology and the New Testament. An Appraisal, Minneapolis 1990.

Holsten, C., Das Evangelium des Paulus I: Die äußere Entwicklungsgeschichte des paulinischen Evangeliums. 1. Abteilung: Der Brief an die Gemeinden Galatiens und der erste Brief an die Gemeinde in Korinth, Berlin 1880.

Holtz, T., Der erste Brief an die Thessalonicher (EKK XII), Zürich ²1990.

Hopkins, K., Death and Renewal: Sociological Studies in Roman History II, Cambridge 1983.

Inscriptiones Latinae Selectae: s. unter Dessau.

Jewett, R., Paul, Phoebe, and the Spanish Mission. The Social World of Formative Christianity and Judaism, in: FS H.C.Kee, hrsg.v. J. Neusner u.a., Philadelphia 1988, 142-161.

-, The Thessalonian Correspondence. Pauline Rhetoric and Millenarian Piety (Foundations and Facets), Philadelphia 1986.

Judge, E.A., Christliche Gruppen in nichtchristlicher Gesellschaft. Die Sozialstruktur christlicher Gruppen im ersten Jahrhundert, Wuppertal 1964.

-, Rank and Status in the World of the Caesars and St.Paul, Christchurch 1982.

-, The Early Christians as a Scholastic Community, in: JRH 1 (1960) 4-15.125-137.

-, The Social Identity of the First Christians: A Question of Method in Religious History, in: JRH 11 (1980/81) 201-217.

Kertelge, K., Der Ort des Amtes in der Ekklesiologie des Paulus, in: BEThL 73 (1986) 184-202.

Klauck, H.-J., Hausgemeinde und Hauskirche im frühen Christentum (SBS 103), Stuttgart 1981.

-, Herrenmahl und hellenistischer Kult. Eine religionsgeschichtliche Untersuchung zum ersten Korintherbrief (NTA NF 15), Münster 1982.

-, 1.Korintherbrief (NEB 7), Würzburg 1984.

Kötting, B., Art.: Genossenschaft D. Christlich: in: RAC 10 (1978) 142-152.

Kornemann, E., Art.: Collegium, in: PRE 4/1 (1900) 380-480.

Lampe, P., Die stadtrömischen Christen in den ersten beiden Jahrhunderten. Untersuchungen zur Sozialgeschichte (WUNT 2/18), Tübingen 1987.

-, Das korinthische Herrenmahl im Schnittpunkt hellenistisch-römischer Mahlpraxis und paulinischer Theologia Crucis (1 Kor 11,17-34), in: ZNW 82 (1991) 183-213.

LaPiana, G., Foreign Groups in Rome During the First Centuries of the Empire, in: HThR 20/4 (1927) 183-403.

Liebenam, W., Zur Geschichte und Organisation des römischen Vereinswesens. 3 Untersuchungen, Aalen 1964 (= Leipzig 1890).

Lucian, with an English Translation by A.M. Harmon. Vol.V (LCL), Cambridge/Mass. 1955.

Luz, U., Charisma und Institution in neutestamentlicher Sicht, in: EvTh 49 (1989) 76-94.

MacDonald, M.Y., The Pauline Churches. A Socio-Historical Study of Institutionalization in the Pauline and Deutero-Pauline Writings (MSSNTS 60), Cambridge 1988.

MacMullen, R., Roman Social Relations. 50 B.C. to A.D. 284, New Haven 1974.

Malherbe, A., Social Aspects of Early Christianity, Baton Rouge 1977.

Marcian: s. unter Corpus Iuris Civilis.

Marshall, P., Enmity in Corinth: Social Conventions in Paul's Relations with the Corinthians (WUNT 2/23), Tübingen 1987.

Martin, D.B., Tongues of Angels and Other Status Indicators, in: JAAR 59/3 (1991) 547-589.

Meeks, W.A., Christentum und Stadtkultur. Die soziale Welt der paulinischen Gemeinden, München 1993.

118

Merklein, H., Entstehung und Gehalt des paulinischen Leib-Christi-Gedankens, in: ders., Studien zu Jesus und Paulus (WUNT 43), Tübingen 1987, 319-344.

-, Die Einheitlichkeit des ersten Korintherbriefes, in: ders., Studien zu Jesus und Paulus (WUNT 43), Tübingen 1987, 345-375.

-, Der erste Brief an die Korinther. Bd.1: Kapitel 1-4 (ÖTK 7/1), Gütersloh 1992.

Mitchell, A.C., I Corinthians 6:1-11: Group Boundaries and the Courts of Corinth, Diss. Yale University 1986.

-, Rich and Poor in the Courts of Corinth: Litigiousness and Status in 1 Corinthians 6,1-11, in: NTS 39 (1993) 562-586.

Mommsen, Th., De collegiis et sodaliciis Romanorum, Kiel 1843.

Moxnes, H., Social Integration and the Problem of Gender in St.Paul's Letters, in: StTh 43 (1989) 99-113.

Nardoni, E., The Concept of Charism in Paul, in: CBQ 55 (1993) 68-80.

Neumann, K.J., Der römische Staat und die allgemeine Kirche bis auf Diocletian I, Leipzig 1890.

Nock, A.D., The Historical Importance of Cult-Associations, in: ClR 38 (1924) 105-109.

Norris, F.W., The Social Status of Early Christianity, in: Gospel in Context 2 (1979) 4-14.

Novum Testamentum Graece, hrsg. v. E. Nestle - K. Aland u.a., Stuttgart [27]1993.

Ollrog, W.H., Paulus und seine Mitarbeiter. Untersuchungen zu Theorie und Praxis der paulinischen Mission (WMANT 50), Neukirchen 1979.

Origine, Contre Celse. Tome IV (Livres VII et VIII), hrsg. u. übs. v. M. Borret (SC 150), Paris 1969.

C. Plinii Caecilii Secundi epistularum libri novem. Epistularum ad Traianum liber. Panegy-ricus, ed. M. Schuster (BiTeu), Leipzig 1952.

Poland, F., Geschichte des griechischen Vereinswesens (Preisschriften der Fürstlich Jablo-nowski'schen Gesellschaft zu Leipzig 38), Leipzig 1909.

Popkes, W., Art.: Gemeinschaft, in: RAC 9 (1976) 1100-1145.

Rajak, T. - Noy, D., Archisynagogoi: Office, Title and Social Status in the Greco-Jewish Synagogue, in: JRS 83 (1993) 75-93.

Reicke, Bo, Diakonie, Festfreude und Zelos in Verbindung mit der altchristlichen Agapen-feier (UUA 1951: 5), Uppsala 1951.

Reinhold, M., Usurpation of Status and Status Symbols in the Roman Empire, in: Hist. 20 (1971) 275-302.

Robertis, F.M. de, Contributi alla storia delle corporazioni a Roma, in: Annali del Seminario giuridico-economico della R. Universita di Bari, Bari 1932, 55-140.

Roloff, J., Die Kirche im Neuen Testament (GNT 10), Göttingen 1993.

Rohrbaugh, R.L., Methodological Considerations in the Debate Over the Social Class Status of Early Christians, in: JAAR 52 (1984) 519-546.

Romaniuk, K., Was Phoebe in Romans 16,1 a Deaconess?, in: ZNW 81 (1990) 132-134.

Saller, P., Personal Patronage Under the Early Empire, Cambridge 1982.

Schiess, T., Die römischen collegia funeraticia nach den Inschriften, München 1888.

Schmeller, Th., Brechungen. Urchristliche Wandercharismatiker im Prisma soziologisch orientierter Exegese (SBS 136), Stuttgart 1989.

-, Rezension von A.D. Clarke, Secular and Christian Leadership in Corinth. A Socio-Historical and Exegetical Study of 1 Corinthians 1-6 (AGJU 18), Leiden 1993, in: BZ 38 (1994) 296-298.

Schöllgen, G., Ecclesia sordida? Zur Frage der sozialen Schichtung frühchristlicher Gemein-den am Beispiel Karthagos zur Zeit Tertullians (JAC.E 12), Münster 1984.

-, Was wissen wir über die Sozialstruktur der paulinischen Gemeinden? Kritische Anmerkun-gen zu einem neuen Buch von W.A. Meeks, in: NTS 34 (1988) 71-82.

Schrage, W., Der erste Brief an die Korinther I (1 Kor 1,1-6,11) (EKK VII/1), Zürich 1991.

Schulz-Falkenthal, H., Die Magistratswahlen in Pompeji und die Kollegien, in: Altertum 17 (1971) 24-32.

Sherk, R.K., The Roman Empire: Augustus to Hadrian (Translated Documents of Greece and Rome 6), Cambridge 1988.

119

Smith, R.H., Were the Early Christians Middle-Class? A Sociological Analysis of the New Testament, in: Gottwald N.K., The Bible and Liberation. Political and Social Hermeneutics, Maryknoll $^{(1/2)}$1983, 441-457.

Soden, H. v., Art.: ἀδελφός κτλ., in: ThWNT I (1933) 144-146.

Söding, Th., Starke und Schwache - Der Götzenopferstreit in 1 Kor 8-10 als Paradigma paulinischer Ethik, ZNW 85 (1994) 69-92.

Sokolowski, F., Lois Sacrées de L'Asie Mineure (École Francaise d'Athènes. Travaux et Memoires 9), Paris 1955.

Stambaugh, J.E.- Balch, D.L., Das soziale Umfeld des Neuen Testaments (NTD.G 9), Göttingen 1992.

Stevenson, G.H., Art.: Clubs, Roman, in: OCD (^{2}1970) 255f.

Stöckle, A., Art.: Berufsvereine, in: PRE.S IV (1924) 155-211.

Sylloge Inscriptionum Graecarum: s. unter Dittenberger.

Tertullian, Apology. De spectaculis, with an English translation by T.R.Glover; Minucius Felix, with an English translation by G.H. Rendall (LCL), London 1960.

Theißen, G., Studien zur Soziologie des Urchristentums (WUNT 19), Tübingen ^{2}1983.

-, Soziale Schichtung in der korinthischen Gemeinde. Ein Beitrag zur Soziologie des hellenistischen Urchristentums, in: ders., Studien (s.d.) 231-271.

-, Die Starken und Schwachen in Korinth. Soziologische Analyse eines theologischen Streites, in: ders., Studien (s.d.) 272-289.

-, Soziale Integration und sakramentales Handeln. Eine Analyse von 1 Cor. XI 17-34, in: ders., Studien (s.d.) 290-317.

-, Vers une théorie de l'histoire sociale du christianisme primitif, in: ETR 63 (1988) 199-225.

-, Jesusbewegung als charismatische Wertrevolution, in: NTS 35 (1989) 343-360.

Tidball, D., The Social Context of the New Testament. A Sociological Analysis, Grand Rapids 1984.

Tod, M.N., Streiflichter auf die griechische Geschichte. Drei Vorlesungen über die aus griechischen Inschriften zu gewinnenden Aufschlüsse über Leben und Denken der Alten Welt (Libelli 159), Darmstadt 1968.

-, Art.: Clubs, Greek, in: OCD (^{2}1970) 254f.

Vittinghoff, F., Gesellschaft, in: ders. (Hrsg.), Europäische Wirtschafts- und Sozialgeschichte in der römischen Kaiserzeit (Handbuch der europäischen Wirtschafts- und Sozialgeschichte 1), Stuttgart 1990, 161-374.

Vogliano, A., La grande iscrizione Bacchia del Metropolitan Museum I, in: AJA 2nd ser. 37 (1933) 215-231.

Wächter, Th., Reinheitsvorschriften im griechischen Kult (RVV IX/1), Gießen 1910.

Waltzing, J.P., Étude historique sur les corporations professionelles chez les romains depuis les origines jusqu'a la chute de l'Empire d'Occident. 4 Bde., Brüssel 1895-1900.

Waszink, J.H., Art.: Genossenschaft B. Römisch, in: RAC 10 (1978) 99-117.

Weber, V., Zur Geschichte des römischen Vereinswesens. Rezension v. F.M. de Robertis, Storia delle corporazioni e del regime associativo nel mondo romano, Bari o.J., in: Klio 59 (1977) 247-256.

Weinreich, O., Stiftung und Kultsatzungen eines Privatheiligtums in Philadelphia in Lydien (SHAW.PH 1919/16), Heidelberg 1919.

Weiß, J., Der erste Korintherbrief (KEK 5), Göttingen 1977 (2.Neudruck der 9.Auflage von 1910).

Wilckens, U., Der Brief an die Römer III (Röm 12-16) (EKK VI/3), Zürich 1982.

Wilken, R.L., Die frühen Christen. Wie die Römer sie sahen, Graz 1986.

Willis, W.L., Idol Meat in Corinth. The Pauline Argument in 1 Corinthians 8 and 10 (SBL.DS 68), Chico 1985.

Winter, B.W., Civil Litigation in Secular Corinth and the Church. The Forensic Background to 1 Corinthians 6,1-8, in: NTS 37 (1991) 559-572.

Ziebarth, E., Das griechische Vereinswesen (Preisschriften der Fürstlich Jablonowski'schen Gesellschaft. Historisch-Nationalökonomische Sektion 21), Leipzig 1896.